Le Feng Shui
des paresseuses

Régine Saint-Arnauld

Le Feng Shui des paresseuses

•MARABOUT•

Sommaire

Avant-propos

Pourquoi ce guide va vous aider

Dans votre vie, rien ne va plus. Mais vous ne savez pas comment faire pour changer les choses, ou peut-être êtes-vous un peu trop paresseuse pour les faire bouger. Cet ouvrage est vraiment pour vous. Si vous croyez encore au bonheur, si vous recherchez un équilibre entre votre corps et votre esprit et si vous aspirez à une sérénité épanouie, vous ne pouviez pas mieux tomber : vous êtes la personne rêvée pour pratiquer le Feng Shui. Bien sûr tout en douceur, sans trop bouleverser vos habitudes, en apprenant peu à peu ses principes et ses conseils, et en les appliquant à votre environnement. Mais c'est quoi, le Feng Shui ? Et comment ça marche ? On vous explique.

Sans doute avez-vous déjà entendu parler de ce fameux Feng Shui, mais vous n'avez pas osé essayer, ou alors à tâtons, un peu en amatrice et guère convaincue des avantages que vous pouviez en tirer. Peut-être avez-vous cru que c'était bien trop compliqué, que ça demandait bien trop d'efforts, que ça allait vous créer bien des soucis ou encore que votre habitation ne réunissait pas les conditions requises – un lieu irréprochable, des proportions soigneusement étudiées, des pièces parfaitement agencées et orientées. Peut-être avez-vous même pensé qu'il s'agissait là d'un attrape-nigaude de plus. Et vous avez laissé tomber au bout de quelques jours. Dommage ! Pourtant rien n'est perdu. On reprend...

Suivant une tradition chinoise millénaire, les hommes ont cherché, pour construire leur maison et y vivre heureux, un site idéal tant en formes, en lignes qu'en espaces. Parce qu'ils aménageaient leur intérieur en respectant des règles précises, parce qu'ils considéraient avec raison que les principes de l'univers et de l'existence humaine s'influencent d'une manière réciproque, ils apprirent à éloigner le malheur et à atteindre l'harmonie. Ainsi donnèrent-ils naissance au Feng Shui.

Feng, c'est « le vent » et *Shui*, c'est « l'eau ». Le Feng Shui touche donc à tout ce qui est mouvant, à ce qui est changeant comme l'eau et le vent. Car c'est bien cette énergie mobile qui nous entoure, cette énergie vitale qu'il faut retenir, maîtriser et réguler. C'est un souffle prodigieux qui doit être vif pour rester positif et offrir la félicité ; car si d'aventure il mourait, alors s'abattrait le malheur.

Le Feng Shui est une philosophie pleine de bon sens et d'un peu de magie, qui permet de transformer et d'améliorer les conditions de son existence, une sagesse qui contribue à équilibrer les énergies agissant sur nos humeurs, un art de vivre qui vise l'harmonie entre l'homme et son environnement. C'est un mode de vie, pas une mode. On continue ?

Pour suivre les règles du Feng Shui, vous devez tout d'abord travailler un peu – oui, mais pas beaucoup. En effet, une petite et rapide inspection des lieux ainsi qu'un léger réglage de base sont nécessaires avant d'aborder les domaines de votre vie que vous souhaitez transformer. Ensuite, libre à vous de suivre le rythme qui vous convient. En procédant, dans votre appartement ou dans votre maison, à l'examen de chacune des pièces, en déterminant leur orientation puis en y apportant des modifications, vous allez pouvoir établir :

○ une véritable stratégie pour dénicher l'homme de votre vie ;

○ un plan de carrière qui vous apportera épanouissement et honneurs ;

○ une recette imparable pour augmenter vos rentrées d'argent ;

○ une fine tactique pour voyager plus souvent ;

○ une méthode infaillible pour réussir dans vos études ;

○ le programme énergétique idéal pour rester en bonne santé ;

○ le mode d'emploi inspiré pour mobiliser votre créativité ;

○ une manière efficace de faire le bonheur de vos enfants ;

○ une façon simple d'être heureuse avec votre famille et vos amis.

Voilà de belles perspectives, vous ne trouvez pas ?

Les règles du Feng Shui peuvent être appliquées partout, dans n'importe quel lieu. C'est une affaire de « réparation » de l'environnement, un peu comme l'acupuncture agit sur notre corps. D'ailleurs, sans même vous en apercevoir, vous avez sans doute déjà appliqué quelques-uns de ces principes. Quand vous aérez votre demeure de fond en comble, quand vous nettoyez vos placards, quand vous vous décidez enfin à jeter de vieilles revues ou des vêtements que vous ne mettez plus, quand vous disposez un bouquet de fleurs dans votre salon, quand vous lavez toute la vaisselle à la fin du repas : vous renouvelez les énergies qui vous entourent. Quand vous travaillez sur un bureau bien rangé, quand vous cuisinez dans un espace dégagé, quand vous gardez à côté de vous la photographie de vos proches, quand vous vous débarrassez d'une plante rabougrie : vous appliquez les règles du Feng Shui, mais oui ! Il en va de même quand vous faites confiance à la pensée positive, aux médecines douces ou à l'écologie. Vous voyez : ce n'est pas si difficile. Et n'oubliez pas que votre sourire est la plus belle application Feng Shui.

Vous l'avez maintes fois constaté : c'est le désordre, la poussière qui s'accumule et la confusion généralisée qui entraînent une mauvaise énergie. Non seulement l'énergie évoquée dans le Feng Shui mais également celle qui provoque votre mauvaise humeur à l'idée d'avoir tout à ranger ! Ce simple exemple prouve combien vous devenez stressée face à un environnement devenu hostile. Et, comme chacun sait, le stress, ce n'est bon ni pour la santé ni pour la sérénité – ni même pour la paresse. Ce qui est bon, c'est l'harmonie, c'est-à-dire le contraire du désordre, de la dissonance, de la contradiction et du désaccord. Comme cette harmonie semble délassante ! La rechercher grâce au Feng Shui, c'est donc vous assurer paix et tranquillité, contentement, plaisir, amour, enfants, amitié, reconnaissance, argent... bref, tout ce que vous pouvez espérer de la vie. À une réserve près : il est difficile de guérir les grands maux, maladies graves, faillites ou séparations douloureuses, qui ne peuvent s'effacer d'un coup de baguette magique… Mais parce qu'il vous donne l'énergie nécessaire pour surmonter vos problèmes et repartir d'un bon pied, le Feng Shui tempère les situations les plus délicates.

Voilà, vous en savez maintenant un peu plus, et peut-être êtes-vous décidée à changer le cours de votre vie. Dès qu'un domaine précis montrera des signes de défaillance, alors intervenez : amour ? travail ? argent ? santé ? famille ? enfants ? amis ? À chacun de ces secteurs est consacré un chapitre fourmillant de principes et de conseils faciles à mettre en œuvre et peu coûteux, ainsi que d'astuces et de coups de pouce judicieux et bien pratiques. Ce livre, c'est un peu comme votre maison : soit vous faites une révision d'ensemble, et votre lecture sera continue, soit vous voulez améliorer un ou deux domaines seulement, et vous irez directement au chapitre qui vous intéresse. Ne soyez pas étonnée si, d'un secteur à l'autre, vous retrouvez parfois les mêmes recommandations : elles ont été répétées car elles restent nécessaires quel que soit le domaine abordé.

Bon sens et sens pratique : tels pourraient être les mots d'ordre du Feng Shui. Rien de bien terrifiant, non ? Armée de règles simples et commodes, vous voici bientôt prête à modifier peu à peu vos habitudes et votre cadre de vie. Afin de débusquer vos négligences, ouvrez l'œil, et le bon : c'est-à-dire « l'œil Feng Shui ». C'est quoi, exactement ? Avoir « l'œil Feng Shui », c'est saisir les effets d'une ombre portée, repérer immédiatement un objet déplacé, disposer spontanément un objet à la place qui lui convient, localiser les éléments introduits dans son environnement, avoir les bons gestes dans les bons endroits… Au premier symptôme de fatigue de votre organisme, au premier signe de tristesse, dès l'apparition d'un problème affectif, relationnel ou professionnel, vous saurez désormais quoi faire : passer en revue et réorganiser votre aménagement. En bref, exercer votre « œil Feng Shui ».

chapitre 1

Comment trouver tout simplement
le bon équilibre entre le yin et le yang

Composez avec les forces en présence

Sans doute avez-vous déjà beaucoup entendu parler du yin et du yang, ces deux forces cosmiques qui, selon la philosophie taoïste, régissent l'univers. Opposées et complémentaires, égales et inséparables, ces énergies existent uniquement l'une par rapport à l'autre ; elles se rencontrent sans cesse et apparaissent dans tous les aspects de la vie : le jour et la nuit, la lumière et l'obscurité, le pair et l'impair, le féminin et le masculin, le chaud et le froid, la tristesse et la joie, l'humidité et la sécheresse, le noir et le blanc, l'immobilité et le mouvement...

Le yin et le yang vont se nicher dans les situations les plus insoupçonnées et les objets les plus inattendus. Autant dire que vous les trouverez partout.

Dans votre cuisine

○ L'amer est yang et le sucré est yin.

○ Le feu est yang et l'eau est yin.

○ La cuisinière est yang et le réfrigérateur est yin.

○ Le brûlé est yang et le putride est yin.

○ Le couteau est yang et la cuillère est yin.

Ou dans votre chambre

○ La lumière est yang et l'obscurité est yin.

○ Le réveil est yang et le sommeil est yin.

○ Le rouge est yang et le bleu est yin.

○ La vitre est yang et le rideau est yin.

Et dans votre salon

○ L'activité est yang et le repos est yin.

○ Le bruit est yang et le silence est yin.

○ Le jeu est yang et la lecture est yin.

○ Le téléviseur est yang et le livre est yin.

○ La table rectangulaire est yang et la table ronde est yin.

○ La couleur vive est yang et la couleur pastel est yin.

Sans oublier votre entrée

○ Le départ est yang et l'arrivée est yin.

○ La sortie est yang et l'entrée est yin.

○ Le porte manteau est yang et le porte-parapluies est yin.

De même à l'extérieur

○ L'été est yang et l'hiver est yin.

○ La chaleur est yang et le froid est yin.

○ La sécheresse est yang et l'humidité est yin.

○ Le sud est yang et le nord est yin.

○ Le ciel est yang et la terre est yin.

○ Le soleil est yang et la lune est yin.

○ La montagne est yang et le lac est yin.

Et à votre bureau

○ Le commencement d'une tâche est yang et son achèvement est yin.

○ Le succès est yang et l'angoisse est yin.

○ La position debout est yang et la position assise est yin.

○ La gauche est yang et la droite est yin.

Pour vos rapports amoureux

○ La joie est yang et la peine est yin.

○ La colère est yang et les larmes sont yin.

Pour vos relations familiales

○ La naissance est yang et le décès est yin.

○ Le bien est yang et le mal est yin.

○ Le fort est yang et le faible est yin.

Pensez enfin à votre santé

○ La pleine forme est yang et la fatigue est yin.

○ Le traumatisme est yang et la maladie est yin.

○ La vue est yang et l'ouïe est yin.

○ Le toucher est yang et l'odorat est yin.

○ L'estomac est yang et la rate est yin.

○ La vésicule biliaire est yang et le foie est yin.

On récapitule ? Tout ce qui est actif, fort et piquant est yang. Tout ce qui est passif, doux et sucré est yin. Jusqu'ici, rien de bien compliqué, non ?

Deux contraires, une unité

Le symbole du yin et du yang est un cercle divisé en deux parties égales par une ligne sinueuse ; une partie est noire (yin) et l'autre est blanche (yang). Ces deux parties sont complémentaires l'une de l'autre ; le principe yin contient le yang en lui (c'est le point blanc), et le principe yang contient le yin en lui (c'est le point noir). Le périmètre de chaque partie est égal au périmètre du cercle. Ce sont donc deux contraires qui s'enlacent pour former une unité.

Cherchez l'harmonie, fuyez l'excès

Quand le yin et le yang sont à égalité, quand ces deux forces opposées et inséparables atteignent leur équilibre, alors l'harmonie peut s'installer dans votre vie et vous apporter chance, santé et bien-être. À l'opposé, quand la balance entre ces deux énergies est rompue, l'instabilité s'insinue et provoque malchance, maladie et toutes formes de mal-être et de souffrances ; tandis qu'un excès de yin entraîne une baisse de forme, de l'immobilisme et de la tristesse, un excès de yang incite à la colère, à l'hyperactivité et à la violence. C'est un peu comme l'ombre et la lumière : une trop grande pénombre attriste, un éclairage trop fort agresse.

Rassurez-vous : grâce au Feng Shui, il est possible de retrouver un aplomb, quitte à transformer une vibration devenue yin en une force yang – et inversement.

Tout bouge, tout change

En permanence, le yin et le yang permutent et causent des changements ;
une force disparaît devant l'arrivée d'une autre. Alors l'été cède la place à
l'hiver, le chaud au froid, le jour à la nuit... Et c'est cette mutation qui crée la
continuité : une personne ne peut être tout le temps mauvaise, une
période ne peut être constamment chanceuse, ou un climat entièrement
humide ; il y aura toujours chez l'autre un élan de bonté, un moment de
déveine adviendra dans une année prospère, et un peu de soleil asséchera
la terre.

Rassurez-vous : après la pluie vient le beau temps, c'est bien connu.
Tout se modifie, tout s'altère ; tout est fluctuant, rien n'est jamais acquis.
C'est pourquoi le bonheur, si fugace, est tellement précieux : c'est bien
connu, mais c'est bon de le rappeler.

Quelques petits réglages à faire

Le Feng Shui est à votre habitation ce que l'acupuncture est à votre corps.
Quand un domaine de votre existence s'affaiblit, il vous faut rééquilibrer les
énergies, procéder à quelques réglages avant que se déclenche le cata-
clysme. Si la défaillance provient d'un excès de force yang, elle peut s'adoucir ; si le mal vient d'un excès d'énergie yin, elle peut être stimulée.

Tout au long de ce livre, vous allez voir qu'une mauvaise disposition d'objets peut, à elle seule, vous causer bien des soucis.

Rassurez-vous : grâce à quelques principes simples et faciles à mettre
en œuvre, vous allez très vite devenir une experte en Feng Shui.

Soyez sensible à certaines énergies

Tout autour de vous circulent des énergies, bonnes ou mauvaises. Même si elles ne peuvent être repérées, elles sont pourtant là et agissent sur vous. Car l'être humain est une sorte d'antenne réceptrice d'ondes vibratoires, mais oui !

Heureusement, vous avez un instinct, une sensibilité qui ne vous trompent pas : n'avez-vous pas remarqué que vous savez très bien choisir les endroits où vous vous sentez bien ? Pourquoi telle table plutôt qu'une autre au restaurant ? Pourquoi tel coin de la terrasse d'un café ? et telle place dans votre salon ? De même, vous désertez certains lieux qui vous mettent mal à l'aise.

Rassurez-vous : comme l'animal qui choisit le bon endroit pour se coucher, vous savez parfaitement reconnaître ce qui est bon ou mauvais pour vous. Et pourquoi, à votre avis ? Mais parce qu'il y a le *ch'i* et le *sha*.

Retenez ce souffle

Si vous êtes une adepte du yoga ou des arts martiaux, vous connaissez déjà le *ch'i* des Chinois – ou le *ki* des Japonais, ou le *prâna* indien. Et tandis que les Grecs le nommaient *pneuma*, nos poètes le désignaient sous le terme « éther » ou « espace ondulatoire ». Il s'agit du souffle qui circule dans le corps, d'une énergie vitale qui circule librement autour de vous et qui vous entoure.

Quand le *ch'i* stagne ou se bloque, il s'appauvrit et meurt. C'est sa mobilité qui développe et diffuse cette merveilleuse énergie dont vous avez tout intérêt à profiter, car elle apporte la chance et la félicité.

Rassurez-vous : vous allez trouver des solutions simples pour attirer le *ch'i* et le garder bien vivant.

Chassez l'intrus

Le *sha* s'installe là où se trouvent l'obscurité, l'humidité et les moisissures – ainsi que dans tous les nids à poussière, les poubelles et autres corbeilles à papiers. Parfois, il part se cacher sous un évier, élit domicile dans un placard ou se retire au fin fond d'un débarras. Vous l'avez compris : le *sha* est une vibration négative, qu'il vous faut sans délai déloger de votre appartement. Car sa seule présence provoque des disputes au sein d'un couple, des problèmes de santé, des difficultés professionnelles ou financières. Bref : parce que le *sha* est le principe des ténèbres, vous devez à tout prix échapper à ses terribles effets.

Rassurez-vous : vous allez apprendre sans peine comment éliminer le *sha*, ici avec un petit miroir, là avec une simple touche de couleur.

1. Découvrez la spiritualité

Le yin et le yang constituent le principe éternel de l'harmonie céleste et terrestre.

2. Sondez l'âme de la philosophie chinoise

Ensemble, le yin et le yang façonnent l'univers.

3. Le yin et le yang sont deux forces opposées

Mais n'oubliez pas qu'elles sont complémentaires.

4. Alors un peu de persévérance

Sachez que vous atteindrez l'harmonie en domptant ces deux énergies.

5. Retenez bien ceci : c'est l'interaction du yin et du yang qui provoque des changements

En dehors de cela, point de salut.

6. Apprenez que rien n'est figé

Le jour disparaît pour laisser place à la nuit, la paresse s'évanouit pour laisser s'épanouir l'énergie...

7. Rendez-vous à l'évidence : si l'action n'existait pas, vous ne pourriez pas goûter à l'oisiveté !

Sans l'immobilité il n'y aurait pas de mouvement.

8. Pour entretenir votre paresse, baignez dans un environnement yin

Ne vous reposez pas sur vos lauriers pour autant : car un tout petit rien peut rendre cet environnement yang, et le faire basculer.

9. Ne cultivez pas l'excès

Être trop yang, être trop yin, c'est mauvais pour le moral et la santé. Temporisez.

10. Évitez les situations trop yin

Quand elles sont trop calmes, elles sont dépourvues de vie. À l'inverse, parce qu'elles comportent trop d'énergie, les situations trop yang provoquent le malheur.

11. N'alternez pas entre les deux énergies

Sinon, vous allez vivre en dents de scie – ce qui est tout sauf agréable.

12. Reconnaissez votre bonheur

Quand vous baignez dans la félicité, c'est que le yin et le yang sont en harmonie.

13. Faites fuir le malheur

Quand le principe du yin et du yang est en œuvre, la malchance peut s'effacer. Alors la chance peut advenir.

14. Rééquilibrez les choses

Sachez que la chance connaît de nombreuses fluctuations, car elle se voit affectée par les cycles des forces de la nature, qui sont tantôt yin, tantôt yang. À vous de vous équilibrer. Avec le Feng Shui, vous y parviendrez.

15. Soyez attentive à tout déséquilibre

Car là où le yin et le yang se dérèglent, le désordre règne.

16. Trouvez les formes

Dans un paysage, les formes yin sont plates et les formes yang sont surélevées. Sachez également identifier la présence de formes ondulées, qui représentent un meilleur équilibre yin-yang : c'est essentiel pour trouver l'harmonie.

17. Procédez à une petite évaluation

Évaluez votre environnement proche, c'est-à-dire votre appartement, votre maison, votre jardin… Y décelez-vous des rapports yin-yang équilibrés ?

18. Au lever, faites le point sur votre humeur

Si elle est sombre et renfrognée, elle est yin. Si elle est joyeuse, elle est yang.

19. Quand vous choisissez vos habits, interrogez-vous

Selon le type et la couleur de vos vêtements, l'énergie sera différente : elle sera yang si vous enfilez un pantalon, elle sera yin si vous agrafez votre jupe ; elle sera yang pour le rouge ou le jaune, elle sera yin pour le noir ou le bleu.

20. Dans la journée, dressez un bilan

À cet instant précis, demandez-vous si vous êtes yin ou yang.

21. Observez vos voisins

Dans les transports en commun ou en voiture, étudiez l'attitude de vos voisins : ils sont yin s'ils sont endormis, ils sont yang s'ils sont agressifs.

22. Inspectez votre demeure

Quand vous rentrez chez vous, trouvez-vous l'atmosphère trop yin, c'est-à-dire sombre, ou trop yang, c'est-à-dire éclairée, ou harmonieuse, quand l'ombre et la lumière sont en équilibre ?

23. En fin de journée, faites un diagnostic

Comment vous sentez-vous ? Quel est votre état d'esprit ? Êtes-vous yin, c'est-à-dire exténuée, ou au contraire yang, c'est-à-dire irascible ?

24. Avant de vous coucher, repérez vos habitudes

Prenez-vous un bain (yin) ou bien une douche (yang) ?

25. Et continuez sur cette voie

Désormais, vous avez appris à vous observer et à étudier le comportement d'autrui. Maintenant, vous savez évaluer les vibrations de votre environnement. Pour rétablir un bon Feng Shui là où le yin et le yang sont en excès, il vous faut simplement un peu de persévérance. Alors on continue !

chapitre 2

Comment passer assez rapidement
de la théorie à la pratique

Les éléments : quoi ? où ? comment ?

Des champs d'énergie pure, dont l'action provoque soit le bien-être, soit la maladie : voilà comment définir les éléments. En Occident, la terre, le feu, l'air et l'eau sont les quatre éléments, envisagés comme les principes constitutifs de toute chose. En Orient, que ce soit en Chine, au Tibet ou en Inde, on considère qu'il existe cinq éléments qui participent à l'ensemble des phénomènes de la nature : ce sont le bois, le feu, la terre, le métal et l'eau. Une correspondance avec le temps, l'espace et tout ce qui est présent sur Terre leur est attribuée. C'est à ce titre que les éléments font partie intégrante de votre habitation, où ils trouvent leur résonance : le bois pour la charpente, les plantes ou le papier ; le feu pour la cheminée, les lampes ou les poêles ; la terre pour le sol ou les récipients de terre cuite ; le métal pour les objets en acier ou en fer ; enfin, l'eau pour les aquariums et les points d'eau.

Actif, puissant, dynamique : le bois

Au bois ☐ correspondent :

○ l'est et le sud-est ;

○ les formes rectangulaires, hautes et fines ;

○ les rayures dans le sens de la hauteur ;

○ le vert ;

○ le bois, la paille, l'osier, le bambou, le coco et le papier ;

○ les photographies et les peintures qui évoquent la nature, la forêt, une plante, des fleurs, un bouquet de fleurs...

Le bois symbolise une énergie ascendante et puissante, qui s'étire vers le haut. Il favorise la croissance, la vitalité, l'activité, la vie professionnelle, les projets nouveaux, l'initiative et le dynamisme.

Si vous utilisez ses représentations dans votre vie quotidienne, alors vous lutterez contre votre manque de confiance en vous, vous atténuerez vos doutes, vous diminuerez vos difficultés professionnelles et vous réduirez votre manque de motivation.

Petit conseil : trop dynamique, l'élément « bois » est néfaste pour votre vie sentimentale, pour le délassement, la patience, la sérénité, la sécurité et la stabilité. Quand elle figure en excès, cette énergie provoque de l'hyperactivité, entraîne une ambition démesurée et gêne à la détente. Choisissez la modération : vous ne vous en porterez que mieux.

Mobile, sensuel, passionné : le feu

Au feu $\triangle$ correspondent :

○ le sud ;

○ les formes pointues, triangulaires, pyramidales et en dents de scie ;

○ les motifs en zigzag ;

○ le rouge ;

○ les matières plastiques ;

○ l'éclairage, les bougies, les lampes, le feu dans la cheminée, la lampe à huile et les reproductions du soleil.

Le feu est associé à une énergie mobile, vive et ardente. Il engendre des sentiments chaleureux, de la passion et de la sensualité.

Si vous utilisez ses représentations dans votre vie quotidienne, alors vous pourrez mettre fin à votre solitude, vous réduirez votre manque d'inspiration, vous atténuerez votre timidité ou vos problèmes de communication.

Petit conseil : trop actif, le feu empêche la détente et la concentration, l'objectivité et la stabilité professionnelle, ainsi que les relations harmonieuses. Quand elle figure en excès, cette énergie crée des émotions démesurées, du stress, de la colère et des disputes conjugales pouvant aller jusqu'à la séparation. Alors pas trop de feu : vous vivrez bien mieux.

Prudente, stable, équilibrée : la terre

À la terre ⬜ correspondent :

○ le sud-ouest, le nord-est et le centre ;

○ les formes rectangulaires, carrées, larges et plates ;

○ les damiers et les rayures dans le sens de la largeur ;

○ le jaune, l'ocre et le marron ;

○ le plâtre, l'argile, la céramique, la brique et la porcelaine ;

○ les fibres naturelles telles que la soie, le coton et le lin ;

○ les photographies et les peintures d'un paysage plat, d'une construction en briques, d'une nature morte avec des pots de terre.

La terre évoque une énergie stable et s'élevant des profondeurs. Elle engendre l'équilibre, le confort, la sécurité et la prudence.

Si vous utilisez ses représentations dans votre vie quotidienne, alors vous pourrez régler les problèmes de la cinquantaine ou les difficultés à fonder une famille, vous atténuerez les querelles conjugales, vous lutterez contre votre impulsivité, allant jusqu'à réduire les prises de risques.

Petit conseil : trop statique, la terre interdit les décisions et les interventions rapides, entrave le dynamisme, l'ambition, la spontanéité et l'innovation professionnelle. Quand elle figure en excès, cette énergie produit de la routine, de la lenteur et de l'ennui. Ne privilégiez pas la terre et tout ira bien.

Organisé, solide, opulent : le métal

Au métal O correspondent :

- l'ouest et le nord-ouest ;

- les formes sphériques et ovales ;

- les arcs de cercle et les dômes ;

- le blanc, l'argenté et le doré ;

- l'acier, l'argent, le fer, le bronze, le cuivre, l'or et les pierres dures ;

- tous les objets en métal, les boîtes rondes, un globe terrestre, les photographies et les peintures de la terre ou d'un paysage de neige.

Le métal est l'énergie maîtresse, l'énergie supérieure. Il favorise la solidité, l'autorité, la richesse et l'organisation.

Si vous utilisez ses représentations dans votre vie quotidienne, alors vous pourrez améliorer vos finances, vos affaires et vos responsabilités, ainsi que votre efficacité et votre sens pratique ; vous adoucirez les soucis de la soixantaine, vous remédierez à votre manque d'organisation et vous atténuerez vos problèmes de contrôle, de persévérance et d'autodiscipline.

Petit conseil : trop rigide, le métal empêche le dynamisme, l'expression des émotions et la réalisation de nouveaux projets. Quand elle figure en excès, cette énergie entraîne du refoulement, de l'introversion et une attitude asociale. Pensez-y : pas trop de métal.

Fluide, souple, profonde : l'eau

À l'eau ≋ correspondent :

- le nord ;

- ○ les formes ondulées, courbes, irrégulières et molles ;
- ○ le noir et le bleu foncé ;
- ○ le verre, le cristal et le miroir ;
- ○ les photographies et les peintures d'un paysage marin, d'une cascade, d'un lac, d'un ruisseau, d'une scène aquatique, d'effets de transparence, d'un aquarium, d'une fontaine...

L'eau est une énergie instable, ondulante, qui se répand. Elle suscite la profondeur, la souplesse et la tranquillité. Elle favorise la spiritualité, l'indépendance, l'harmonie sexuelle, l'affection et la fécondité.

Si vous utilisez ses représentations dans votre vie quotidienne, alors vous pourrez lutter contre le stress, l'insomnie et la maladie, et vous diminuerez vos périodes de convalescence.

Petit conseil : trop lymphatique, l'eau est néfaste pour l'activité, la vie professionnelle et la passion. Quand elle figure en excès, cette énergie provoque l'apathie, la solitude et l'isolement. Ne laissez pas trop de place à l'eau.

Les correspondances, c'est tout un monde

Le tableau ci-dessous vous permet de vous familiariser avec toutes les énergies Feng Shui. Il présente les principales correspondances qui existent entre les éléments et les nombres, les couleurs, les saisons, les sentiments, les notes de musique, les végétaux, les métaux... C'est tout l'univers qui s'organise.

Élément	Bois	Feu	Terre	Métal	Eau
Nombre	Le 3 et le 8	Le 2 et le 7	Le 5	Le 4 et le 9	Le 1 et le 6
Climat	Le vent	La chaleur	L'humidité	La sécheresse	Le froid
Odeur	Le rance	Le brûlé	Le parfumé	L'âcre	Le putride
Couleur	Le vert	Le rouge	Le jaune	Le blanc, le métal	Le noir
Saveur	L'aigre	L'amer	Le doux	Le piquant	Le salé
Saison	Le printemps	L'été	La cinquième saison	L'automne	L'hiver
Direction	L'est	Le sud	Le centre	L'ouest	Le nord
Énergie	Le jeune yang	Le vieux yang	L'équilibre	Le jeune yin	Le vieux yin
Organe	Le foie	Le cœur	La rate	Le poumon	Les reins
Viscère	La vésicule	L'intestin grêle	L'estomac	Le gros intestin	La vessie
Corps	Les muscles	Les vaisseaux	La chair	La peau	Les os
Sens	La vue	Le toucher	Le goût	L'odorat	L'ouïe
Caractère	L'aimable	Le poli	Le crédible	Le courageux	L'intelligent
Sentiment	La colère	La joie	L'amour	La tristesse	La peur
Vertu	Le savoir	L'ordre	La sainteté	L'entente	La gravité
Note de musique	Do	La	Mi	Ré	Sol
Végétal	Le blé	Le riz	L'orge, le millet	L'avoine	Le haricot, le soja
Animal	La volaille, le chien	Le mouton	Le bœuf	Le cheval	Le porc
Planète	Jupiter	Mars	Saturne	Vénus	Mercure
Métal	L'étain	Le fer	Le plomb	L'or	Le mercure
Pierre	La turquoise	Le rubis	La topaze	Le saphir	L'émeraude

Une affaire de vie et de mort

Les cinq éléments, qui appartiennent au monde visible, s'engendrent et se détruisent les uns les autres.

Dans la phase de création, l'eau fait pousser le bois qui, lui, nourrit le feu ; puis le feu produit des cendres qui deviennent terre ; la terre produit le minerai dont est extrait le métal qui, une fois chauffé, dégage de la vapeur d'eau.

Dans la phase de destruction, l'eau éteint le feu qui, lui, fait fondre le métal ; puis, devenu hache ou scie, le métal détruit le bois qui, en se nourrissant de ses substances, appauvrit la terre ; quant à la terre, elle absorbe l'eau.

Quand ils sont mis en présence, les éléments qui s'entraident — à l'instar de ce qui se passe lors de la création — engendrent un bon Feng Shui : à son tour, ce dernier produit un destin heureux. À l'inverse, les éléments qui se nuisent — comme ce qui se passe lors de la destruction — génèrent un mauvais Feng Shui, et le mauvais Feng Shui engendre un destin malheureux.

Votre maison, le reflet de votre vie

Pour comprendre le Feng Shui, il faut maintenant découvrir deux figures énigmatiques : le carré magique et le *pa kua*.

Pouvoirs d'un carré...

Connaissez-vous le carré magique ? Il contient les neuf premiers nombres et possède une particularité singulière : que vous additionniez horizontalement, verticalement ou en diagonale les chiffres inscrits dans les lignes, cela fait toujours 15. Ce carré est, dit-on, doté d'un pouvoir étonnant.

4	9	2
3	5	7
8	1	6

Le carré magique

Quel que soit le sens de lecture choisi,
la somme des chiffres fait toujours 15.

Pour les Anciens, le monde était fondé sur des principes mathématiques, et ils attribuaient aux nombres des vertus magiques, voire des valeurs occultes ; aujourd'hui encore, quelques sorciers utilisent le carré magique dans leurs pratiques rituelles.

Qu'ils aient ou non pratiqué le Feng Shui, les Chinois s'en remettaient au pouvoir des nombres pour calculer les dates les plus favorables à leurs entreprises importantes. Ainsi enrichirent-ils le carré magique d'une boussole : ils venaient de créer le *pa kua*. Cet instrument leur permettait notamment de déterminer l'endroit idéal pour construire leur demeure ou pour implanter leur commerce.

... et vertus d'une boussole

Ne vous effrayez pas : tout cela n'est pas si compliqué, vous allez voir. Nous vous épargnerons les détails, de même que l'histoire de ce *pa kua*. Pour faire simple mais précis, disons qu'il s'agit d'une figure octogonale qui contient les huit directions de la boussole ainsi que les huit trigrammes du *Yi-king* – le plus ancien des textes classiques chinois, qui délivre des sentences philosophiques et divinatoires orientant l'homme vers sa destinée. Sans oublier que le *pa kua* est un symbole de protection, un défenseur contre les forces nuisibles.

Selon la tradition chinoise, le nord est en bas et le sud est en haut. C'est cette orientation qui sera toujours indiquée ici.

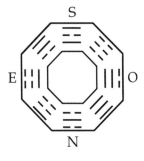

Le *pa kua*

Armés du carré magique et du *pa kua*, les adeptes du Feng Shui découpent virtuellement la surface de leur demeure en neuf secteurs et agissent sur huit domaines de leur existence. À vous de jouer maintenant.

Divisez votre demeure en neuf zones

Si vous placez le carré magique et le *pa kua* sur le plan de votre demeure, vous allez déterminer neuf secteurs : ils correspondent à votre vie amoureuse, à votre vie familiale, à votre vie financière, à votre santé, à votre réussite professionnelle, à vos voyages... Cette découpe se fait en neuf zones, mais huit seulement sont concernées et actives. C'est normal, car la neuvième, c'est-à-dire le centre, reste neutre. En effet, à l'instar du centre d'une boussole qui est le point de convergence de toutes les directions, le cœur du carré magique, du *pa kua* ou de votre maison, possède une énergie inactive.

sud-est	sud	sud-ouest
est		ouest
nord-est	nord	nord-ouest

Les huit directions d'une boussole (le centre est neutre)

Pour localiser les pièces ou les parties de votre maison qui correspondent aux domaines de votre vie, vous allez diviser le sol en neuf secteurs égaux. Nous allons vous guider pas à pas, ne vous en faites pas.

Si vous avez plusieurs étages, procédez de la même manière pour chacun d'entre eux.

Si votre demeure est en forme de L, de T, de U ou toute autre configuration, pas de panique : appliquez cette grille pour chaque pièce. C'est un peu plus long à faire, c'est vrai, mais c'est beaucoup moins contraignant et tout aussi efficace que de chercher à remédier à tous les renfoncements et les extensions de votre logement, croyez-le !

Passons aux travaux pratiques

Voici la marche à suivre :

1. Pour vous faciliter la tâche, faites le plan de votre habitation sur du papier millimétré. Dessinez les murs extérieurs et les cloisons intérieures, les portes et les fenêtres.

2. L'emplacement de la porte d'entrée est essentiel pour la superposition de la grille du *pa kua* sur votre plan. En effet, placez toujours la base de la

grille – qui correspond à la ligne droite qui relie le nord-est au nord-ouest (d'après la boussole chinoise) – sur le segment représentant le mur où se trouve la porte d'entrée.

3. S'il y a plusieurs entrées, choisissez celle qui se trouve sur le devant de votre demeure : en général, le devant fait face à une aire dégagée, une rue, une voie principale, un lieu dénudé, un espace vert... Et s'il vous est difficile de repérer la façade principale, procédez à l'inverse et déterminez l'arrière de la bâtisse : elle est en général protégée par des haies, par un ou plusieurs bâtiments. Il est alors facile de conclure que le devant de votre demeure se trouve à l'opposé !

4. Vous pouvez utiliser la grille du *pa kua* pour une pièce qui vous est personnelle – votre chambre ou votre bureau –, ou pour un meuble – votre table de travail ou une simple commode. Car il peut être délicat d'imposer la pratique du Feng Shui aux membres de votre famille.

Essayez de faire une figure octogonale.

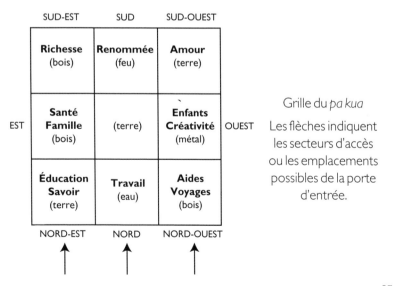

Grille du *pa kua*

Les flèches indiquent les secteurs d'accès ou les emplacements possibles de la porte d'entrée.

Repérez les huit domaines de votre vie

Richesse, renommée, amour, enfants, voyages, travail, savoir et santé : tels sont donc les huit secteurs de votre vie que vous allez pouvoir, grâce à la grille du *pa kua*, délimiter puis améliorer. L'orientation de chaque secteur est indiquée selon la boussole chinoise.

1. La richesse : ah oui !

Le secteur sud-est (d'après la boussole chinoise) est lié à l'Élément Bois. Pour avoir un bon Feng Shui, évitez tous les objets, les couleurs et les symboles qui sont en correspondance avec l'Élément Métal (voir le tableau p. 32), car – vous le savez – le Métal coupe le Bois. Quant aux objets, aux couleurs et aux symboles associés aux Éléments Eau et Bois, ils sont favorables.

Ce domaine est celui de votre vie financière, de vos rentrées d'argent, de vos dépenses et de vos biens. En bref : tout ce qui, de près ou de loin, se rapporte à l'argent.

2. La renommée : pourquoi pas ?

Le secteur sud (d'après la boussole chinoise) est lié à l'Élément Feu. Pour qu'il soit heureux, évitez tous les objets, les couleurs et les symboles qui sont en correspondance avec l'Élément Eau, car l'Eau détruit le Feu. Quant aux objets, aux couleurs et aux symboles associés aux Éléments Feu et Bois, ils sont avantageux.

Ce domaine est celui de votre réussite sociale, de votre réputation, de tout ce qui permet votre notoriété. De lui dépendent les gratifications et les honneurs que vous pourrez recevoir.

3. L'amour : soyez heureuse…

Le secteur sud-ouest (d'après la boussole chinoise) est lié à l'Élément Terre. Pour lui assurer un bon Feng Shui, évitez tous les objets, les couleurs et les symboles qui sont en correspondance avec l'Élément Bois, car, en se nourrissant de ses substance, le Bois appauvrit la Terre. Quant aux objets, aux couleurs et aux symboles associés aux Éléments Terre et Feu, ils sont chanceux.

Ce domaine est celui de vos rapports affectifs, de votre vie en couple ou de votre mariage.

4. Les enfants et la créativité : c'est pareil !

Le secteur ouest (d'après la boussole chinoise) est lié à l'Élément Métal. Afin d'y puiser de bonnes énergies, évitez tous les objets, les couleurs et les symboles qui sont en correspondance avec l'Élément Feu, car le Feu fait fondre le Métal. Quant aux objets, aux couleurs et aux symboles associés aux éléments Métal et Terre, ils sont favorables.

Ce domaine est celui de vos enfants et de votre fécondité. Il est également celui de votre créativité sous toutes ses formes. C'est ici, et nulle part ailleurs, que vous pourrez réveiller votre inspiration.

5. Les voyages : envie de bouger ?

Le secteur nord-ouest (d'après la boussole chinoise) est lié à l'Élément Métal. Pour lui assurer un bon Feng Shui, évitez tous les objets, les couleurs et les symboles qui sont en correspondance avec l'Élément Feu, car le Feu fait fondre le Métal. Quant aux objets, aux couleurs et aux symboles associés aux Éléments Métal et Terre, ils sont avantageux.

Ce domaine est celui de vos voyages ; il gouverne l'échange et la communication. Il est également celui de vos soutiens, de toutes les aides, conseillers ou mécènes, dont vous pourriez avoir besoin.

6. Le travail : soyez ambitieuse !

Le secteur nord (d'après la boussole chinoise) est lié à l'Élément Eau. Pour qu'il soit heureux, évitez tous les objets, les couleurs ou les symboles qui sont en correspondance avec l'Élément Terre, car la Terre absorbe l'Eau. Quant aux objets, aux couleurs et aux symboles associés aux Éléments Eau et Métal, ils sont précieux.

Ce domaine est celui de votre labeur au quotidien, ainsi que de toutes vos perspectives professionnelles.

7. Le savoir : devenez plus cultivée encore !

Le secteur nord-est (d'après la boussole chinoise) est lié à l'Élément Terre. Pour lui assurer un bon Feng Shui, évitez tous les objets, les couleurs et les symboles qui sont en correspondance avec l'Élément Bois, car le Bois se nourrit des substances de la Terre et l'appauvrit. Quant aux objets, aux couleurs et aux symboles associés aux Éléments Terre et Feu, ils sont avantageux.

Ce domaine est celui de vos études – ou de celles de vos enfants –, de vos apprentissages divers, de vos connaissances, de votre bagage intellectuel, de votre instruction en général.

8. La santé : c'est le plus important ?

Le secteur est (d'après la boussole chinoise) est lié à l'Élément Bois. Pour qu'il soit heureux, évitez tous les objets, les couleurs et les symboles qui sont en correspondance avec l'Élément Métal, car le Métal coupe le Bois. Quant aux objets, aux couleurs et aux symboles associés aux Éléments Bois et Eau, ils sont favorables.

Ce domaine est celui de votre santé, de l'harmonie qui règne au sein de votre famille, de votre hérédité et de vos aïeux.

Faites pareil au bureau

Si vous manquez d'inspiration, si vous n'avez pas – pour l'instant, mais ça viendra... – le courage de réfléchir à la disposition de votre bureau, nous allons vous aider : voici l'exemple type de l'aménagement Feng Shui d'une table de travail, voici l'organisation idéale qui fortifiera le *ch'i* de votre environnement.

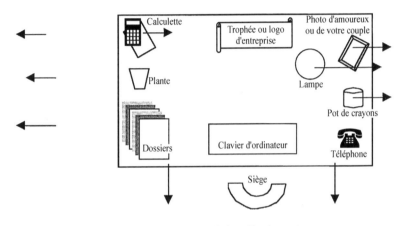

base de la grille du *pa kua*

La base de la grille du *pa kua* se situe sur l'arête qui est face à votre siège.

Aménagement Feng Shui d'un bureau.

Décryptons un peu ce dessin où a été superposée la grille du *pa kua*.

○ Dans le secteur « travail » se trouve en général un sous-main ou le clavier de votre ordinateur.

○ À votre droite, voici le téléphone, car vous êtes dans le secteur « aides et communication (et voyages) ».

- Juste derrière lui, placez la photographie de vos enfants, la reproduction d'une œuvre d'art ou un pot à crayons afin de favoriser votre créativité : vous l'avez compris, vous êtes dans le secteur « enfants et créativité ».

- Au fond à droite, dans le secteur de l'amour, trône la photographie de votre bien-aimé ou de votre couple. Ou bien choisissez une lampe qui diffuse une lumière chaude.

- En face de vous, dans le secteur de la renommée, disposez un <u>trophée</u>, un diplôme ou tout autre objet qui vous valorise. Des fleurs feront aussi très bon effet.

- Au fond à gauche, voici l'endroit rêvé pour ranger votre calculette, car c'est le secteur de la richesse.

- Juste au-dessous, dans le secteur de la santé et de la famille, disposez une plante robuste.

- À votre gauche, dans le secteur de l'éducation et du savoir, c'est la place de vos dossiers en cours, de votre dictionnaire, de vos ouvrages de référence...

Quand des réparations s'imposent

Les choses ne tournent pas rond dans votre vie ? Vous êtes décidément trop malheureuse en amour ? Vos économies filent à toute allure et vous n'avez pas l'espoir d'une rentrée d'argent ? Votre santé n'est pas au beau fixe et vous enchaînez bobos sur maladies ? Vos enfants manquent de concentration à l'école ? Vous vous êtes brouillée avec votre belle-mère ? Vos voisins font courir des rumeurs sur vous ? Ça suffit ! Si vous rêvez qu'une bonne fée fasse disparaître tous vos maux, là, maintenant, d'un coup de baguette magique, alors il est grand temps de pratiquer le Feng Shui pour rééquilibrer votre existence. Voici comment :

- En vous inspirant de la grille du *pa kua*, repérez le secteur où vous sou-haitez apporter des changements.

○ Que vous appliquiez cette méthode à la surface de votre logement, à une seule pièce ou à votre table de travail, placez-vous toujours dans l'embrasure de la porte ou asseyez-vous sur votre fauteuil, devant votre bureau.

○ Agissez sur le secteur qui se trouve face à vous : par exemple, en haut à droite s'il s'agit de votre vie sentimentale ou immédiatement à votre gauche s'il s'agit de l'éducation de vos enfants. Pour rétablir votre état de santé, intervenez sur la surface située au centre et à gauche.

○ Si vous voulez secourir un secteur affaibli, il faut l'intensifier en ajoutant une couleur qui correspond aux vibrations de l'emplacement choisi, ou en disposant un objet symbolique par sa forme (☐ , ○ , △ , etc.), sa conception ou son apparence.

○ Voici une grille qui présente les correspondances entre, d'une part, les huit secteurs et, d'autre part, les couleurs et les formes qui leur sont profitables. À vous de jouer en mariant le bleu au triangle ou le rouge au cercle...

SUD-EST	SUD (feu) △	SUD-OUEST		
Richesse Le bleu, le violet et le rouge △ ☐	**Renommée** Le rouge ▭ △	**Amour** Le rouge, le rose et le blanc △ ○		
Santé Famille Le vert ☐	(centre) (terre) Le jaune et l'ocre ▭	**Enfants Créativité** Le blanc et les pastels ○	OUEST (métal) ○	
Éducation Savoir Le noir, le bleu et le vert ☐ ∿	**Travail** Le noir, le bleu et le vert ▭	**Aides Voyages** Le blanc, le noir et le gris ○		
NORD-EST	NORD (eau) ∿	NORD-OUEST		

EST (bois) ☐

Correspondances entre les couleurs et les formes

o Si vous rencontrez un problème dû à un excès d'énergie – par exemple, trop de voyages dans votre vie professionnelle, une réussite soudaine et déstabilisante, une vie amoureuse passionnelle... –, il est nécessaire de tempérer les vibrations en place. Atténuez-les en plaçant dans le secteur concerné un objet, une couleur ou un symbole correspondant à l'élément qui lui a donné naissance. Car c'est le cycle de création qui tourne en sens inverse. Le bois tempère l'eau, l'eau tempère le métal, le métal tempère la terre, la terre tempère le feu et le feu tempère le bois.

Espèces d'espaces

Parce que le *ch'i* n'a plus aucun secret pour vous (vous avez lu le chapitre 1, non ?), vous savez que cette énergie vitale, qui constitue la plus grande partie de notre environnement, demande à circuler librement pour avoir quelque influence. Or, contrairement aux idées reçues (mais vous, vous n'en avez pas, non ?), un appartement presque vide, à la mode japonaise – où le *ch'i*, penserions-nous, aurait tout l'espace rien que pour lui – n'est pas nécessairement plus Feng Shui qu'un intérieur au décor chargé. Car c'est l'équilibre, et l'équilibre seul, qui crée l'harmonie : une pièce trop dénudée ou trop remplie nuit à cette harmonie tant recherchée.

Pour rester en vie, le *ch'i* doit pouvoir jouer avec les espaces vides et les espaces pleins. Et dans votre intérieur, jouer avec les vides et les pleins, c'est agencer votre propre décor de vie, c'est construire votre propre univers.

Le vide, ce n'est pas rien

L'espace vide, c'est du vide, un point c'est tout, direz-vous : eh bien, non !
Tout vide soit-il, un espace possède son propre volume et sa propre architecture. Pour vous en persuader, prêtez-vous simplement à cette petite
expérience : d'un seul coup d'œil, cherchez à dessiner l'espace vide qui se
trouve, près de vous, entre deux objets. Opération réussie ? Oui, ce vide a
une forme et, avec un crayon, vous pourriez très bien dessiner son
contour. Doté d'un périmètre et d'un volume, le vide possède également
sa propre énergie. N'oubliez pas que l'architecture du vide est tout aussi
importante que l'architecture du plein : l'harmonie visuelle et vibratoire
d'un volume vacant agit sur votre moral, votre santé et votre destinée. Et
quand il est mal conçu, le vide entraîne des énergies de néant, de solitude et
de pauvreté.

Et le plein, ce n'est pas toujours trop

De même que vous pouvez vous sentir écrasée par un immense espace
vide, de même vous pouvez vous sentir complètement étouffée dans un
espace engorgé de formes lourdes et massives.

Toutefois, quand il est bien conçu, le plein crée des énergies d'abondance,
de présence et de richesse.

Mettez les formes

Chaque forme possède une énergie qui lui est propre ; afin que le *ch'i* de
votre intérieur soit harmonieux, vous devez donc les diversifier. Car vous
paresserez mieux dans une pièce emplie d'un mobilier aux formes arron-

dies et non pas angulaires, et vous travaillerez deux fois plus vite dans un atelier ou dans une cuisine dotés d'un équipement aux formes droites et épurées. Pour vous aider à trouver votre inspiration, voici quelques pistes. À chaque forme son dynamisme.

Le cercle

L'homogénéité, la totalité et la perfection : voilà ce que représente le cercle. Évoquant un aspect enveloppant, il symbolise donc la protection : songez au fœtus dans le ventre tout rond de sa mère, aux remparts qui entourent une ville ou un château, au cercle magique tracé autour du guerrier qui se prépare au combat ou autour du mage qui va prononcer ses incantations. Une ronde dansée par des enfants ou formée par des adultes, telle est l'image du lien, de l'adhésion et du soutien.

L'énergie du cercle est donc apaisante et bienfaisante.

Petit conseil : mieux vaut se lover dans un fauteuil bien rond que dans un canapé tout rectangulaire.

La spirale

La spirale est un système dynamique de mouvement centrifuge ou centripète. Parce qu'elle rappelle les turbulences atmosphériques ou l'écoulement de l'eau dans un orifice, elle symbolise l'évolution et l'involution.

Quand elle est comparée au ressort, la spirale évoque l'évolution d'une force. Son énergie est dynamique, optimiste, ouverte et positive. On pense spontanément à l'extension et à l'émanation.

Petit conseil : partez donc à la recherche d'objets à ressort et de motifs à spirales.

L'ovale

L'ovale fait référence à l'œuf, le symbole universel de la naissance du monde, ainsi qu'à l'œil, la représentation des perceptions extérieures.

L'énergie de l'ovale est semblable à celle du cercle.

Petit conseil : un assemblage d'ovales et de ronds est plus dynamique et plus vivant qu'une mise en place d'éléments ronds.

Le triangle

Quand il a la pointe en haut, le triangle représente le feu, avec une flamme qui monte, ainsi que le sexe masculin ; quand il a la pointe en bas, le triangle figure l'eau, avec une goutte qui tombe, ainsi que le sexe féminin.

L'énergie du triangle est dynamique, ascendante ou descendante selon son orientation, mais ses angles saillants sont agressifs. Selon sa position, il évoque la montagne, la pyramide, le cône, le faisceau lumineux ou encore les rayons du soleil qui transpercent les nuages pour descendre sur Terre.

Petit conseil : attention aux effets d'une table triangulaire (voir plus bas p. 51).

Le carré et le rectangle

Avec leurs quatre côtés, le carré et le rectangle sont anti-dynamiques. Ils représentent l'ordre – ne dit-on pas d'une situation bien réglée que « c'est carré » ? –, la stagnation, l'arrêt et la solidification.

L'énergie du carré et du rectangle est donc dormante et stabilisante.

Petit conseil : comparez les maisons occidentales, qui sont construites sur des fondations rectangulaires et en pierres de taille, aux tentes ou aux camps des nomades, qui sont circulaires ; vous comprendrez la signification de ces formes.

La croix

La croix est par excellence le symbole de l'orientation, de la convergence des directions et des oppositions : c'est la croix qui indique les quatre points cardinaux.

Petit conseil : sachez que, en son centre, l'énergie de la croix est non agissante.

La flèche

Avant tout, la flèche constitue une arme qui meurtrit ou qui donne la mort. Elle est toujours pointée vers une cible déterminée et possède une grande force d'impact. Parce qu'elle pénètre et ouvre, parce qu'elle peut séparer et dédoubler, en général la flèche représente une menace. Son énergie est donc agressive et menaçante.

Une forme saillante génère un *shar ch'i*, c'est-à-dire un « souffle qui tue », comme la flèche, symbole de pénétration et de blessure. De la même manière, la ligne droite est porteuse d'une énergie directe et violente, qui provoque un effet destructeur. Les adeptes du Feng Shui nomment « flèche empoisonnée » une forme saillante et anguleuse.

Petit conseil : ne disposez pas un lit, un canapé ou un siège – c'est-à-dire un endroit où vous avez l'habitude de vous installer – face à cette « lance ». Sachez vous mettre hors de sa portée offensive, détournez-la grâce à un miroir ou adoucissez ses vibrations perturbatrices grâce à diverses astuces que vous découvrirez au fil de votre lecture.

Vibrations

Les ondes de forme sont des vibrations engendrées par des objets ou par une forme quelconque ; selon la nature de l'objet ou de la forme, elles plongent leur environnement dans un champ négatif ou positif. Exemple : la turquoise, cette pierre bleue aux formes douces, ne répand jamais d'énergie agressive.

Selon les géobiologues, une forme ronde est plus favorable qu'une forme pointue. Exemple : les angles d'une table triangulaire envoient des vibrations négatives aux personnes qui leur font face.

Petit conseil : gare à toutes celles qui s'installeront à une table triangulaire, que ce soit pour déjeuner sur le pouce ou pour assister à une longue réunion, car elles souffriront de troubles gastriques : symboliquement, les angles pointus de la table perceront leur estomac !

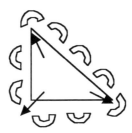

une table triangulaire et ses effets pervers

Quant à la pyramide, c'est un accumulateur d'énergie. Jadis, elle avait pour but de préserver l'âme d'un défunt et de garantir son immortalité. Souvent adoptée de nos jours pour différentes fonctions – allant de la relaxation au vieillissement du vin –, la pyramide n'est pourtant pas si inoffensive que ça : ses structures amplifient les forces telluriques et engrangent les forces cosmiques. Sa forme étant parfaite, à la fois yin et yang, elle est donc

« unitaire », au point de ne rien supporter près d'elle. Voilà donc une forme limite qui s'avère parfois dangereuse.

Petit conseil : attention !

Objets fétiches

Nombreuses sont les personnes qui collectionnent toutes sortes d'objets ; plus nombreuses encore sont celles qui collectionnent des représentations de leur animal fétiche ou d'un animal qui leur semble plaisant, proche. C'est votre cas ? Vous vous trouvez des affinités avec le hibou, le tigre, l'éléphant, le chat ou la grenouille, pour des raisons que vous ignorez le plus souvent et qui sont liées à votre histoire personnelle ; la symbolique de cet animal y occupe une place importante et répond à une utilité.

Des collections de petites bêtes

Les figurines ont envahi vos précieux mètres carrés ; si elles sont concentrées dans une pièce, vous pénétrez dans leur antre et non plus dans le vôtre. Tels une armée de petits soldats au garde-à-vous, elles vous accueillent avec leurs énergies réunies en masse et en puissance : imaginez que vous vivez dans une nursery s'il s'agit de jouets, dans un zoo s'il s'agit d'animaux ou dans une écurie s'il s'agit de chevaux ! Vous y sentiriez-vous à votre place ? Le bon sens voudrait que vous les gardiez enfermées dans une vitrine afin de délimiter leur territoire... et le vôtre.

En dispersant toutes ces petites bêtes dans votre demeure, il vous faudra examiner leur symbolique, leur forme, leur couleur, leur matière... et vérifier si leur emplacement est favorable au secteur choisi. À l'inverse, en réunissant ces statuettes en un même endroit, soyez très attentive à l'effet qu'elles créent : elles reproduisent une sorte de microcommunauté, avec ses amours et ses haines ; et selon leurs attitudes elles jouent des scènes muettes qui possèdent une influence sur l'atmosphère de votre maison. N'introduisez pas en votre intérieur les hostilités de la nature ; faites attention au pouvoir qu'une statuette d'animal peut véhiculer.

Petit conseil : avant de faire une nouvelle acquisition, observez bien la figurine. L'animal a-t-il quelque chose dans sa gueule ? entre ses griffes ? Semble-t-il porter, broyer, ingérer, voire régurgiter sa prise ? Tout a une signification. Il est quand même préférable que vous possédiez une statue dont l'énergie est bienfaisante.

Écoutez tout

Selon leur amplitude et leur caractère, les sons que nous percevons génèrent un effet positif ou destructeur : le gazouillis des oiseaux, le babillement d'un enfant, la cacophonie de la rue, la stridence d'un marteau-piqueur, la musique dite « de barbares » ou « d'ambiance », tout cela agit d'une manière différente sur notre comportement. Sans oublier le silence.

La musique ? indispensable !

Dire que la musique adoucit les mœurs est loin d'être vain, vous ne trouvez pas ? Quel que soit son genre, elle éveille toujours des sensations et des émotions extrêmement diverses.

La médecine l'emploie pour détendre des malades : c'est ce qu'on appelle « la musicothérapie ». Quant aux thérapies fondées sur la musique, elles optimisent la qualité des soins en réduisant l'intensité et la durée de la douleur tout en diminuant l'anxiété. Et si la baisse de l'angoisse et du stress est leur objectif premier, ces thérapies sont également efficaces pour augmenter les interactions sociales, pour améliorer la verbalisation, l'autonomie et la coopération des individus.

Les vibrations de la musique régénèrent le *ch'i*. Quand elle est chargée d'émotions, la musique favorise l'expression des sentiments ; quand elle est sereine, elle augmente votre capacité de travail ; quand elle se fait tonique, elle soutient votre énergie. Les sons produits par les carillons éoliens, par les gongs et les cloches favorisent également le *ch'i*.

Petit conseil : quoi de mieux que de rêver, sur une musique douce et relaxante, au chant des cigales ou à celui, tout simplement, de la nature ! Laissez-vous immerger dans un apaisement total, dans une sagesse faite de quiétude pour vibrer sur le mode Feng Shui. Une telle atmosphère est préconisée dans les commerces ou les bureaux, au lever ou après une journée de travail, dans le bain ou pendant l'amour ; elle aide aussi vos enfants à trouver le sommeil.

Du rythme dans la peau ?

Pouvez-vous imaginer un instant ce que serait votre vie sans l'alternance du son et du silence ? Quelle tristesse ! C'est l'alternance, c'est le rythme qui mettent en valeur et rendent visible l'activité. Plus un rythme s'accélère, plus il devient stressant ; plus il se tempère, plus il devient apaisant. Vous en avez toutes fait l'expérience : un rythme donné conditionne notre vitesse d'exécution et notre allure. Sauf pour trouver un dynamisme momentané et nécessaire à une situation – par exemple faire le ménage ! –, fuyez, comme il se doit dans la philosophie Feng Shui, les rythmes endiablés ou trop saccadés. Car rythme tempéré et bien-être sont toujours solidaires.

À l'instar de celui qui s'éreinte parce qu'il est constamment en action, vous vous épuiserez à écouter de la musique en permanence.

Petit conseil : pour mieux en jouir, sachez retrouver les délices du silence, de la quiétude regagnée et du repos nécessaire, où il est si bon de laisser glisser son corps et son esprit.

Contre le désordre sonore, armez-vous de silence

Comme ils sont nombreux, tous ces gens qui, en désaccord avec eux-mêmes, mal à l'aise dans le silence, tentent d'annuler cet espace vacant en allumant la télévision ou en recherchant à tout prix un bruit de fond : car, pour eux, l'essentiel est de remplir ce qu'ils vivent comme un grand vide ! Sinon, leur angoisse aurait tôt fait de combler cet intervalle disponible, d'où émergeraient alors leurs peurs et leurs non-dits. Tous ceux qui ne savent plus être à l'écoute de leur musique intérieure ne peuvent que rechercher à l'extérieur le désordre sonore.

Le silence s'écoute : d'ailleurs, non seulement il est une pause mais il fait également partie de la musique. La place qu'il laisse rend possible le bruit, le vivant. C'est de l'espace vacant que surgit la création, et toute création donne vie au bonheur.

Petit conseil : redécouvrez la valeur du silence qui reste essentiel à votre harmonie intérieure. Et le silence, c'est aussi un bon prétexte pour ne rien faire !

Peut-on compter sur les nombres ?

Que ce soit dans le quotidien ou lors d'un événement particulier, le nombre rythme sans cesse votre vie ; le nombre de vos heures de sommeil, l'heure de votre réveil, le bouquet de fleurs en nombre impair, le nombre de couverts, qui varie selon que vous êtes en famille ou en réception, le numéro de la rue et le numéro de téléphone, qui changent en général quand vous déménagez... Certains chiffres vous suivent toute votre existence, tels que votre numéro de Sécurité sociale, le numéro inscrit sur votre carte d'identité, voire ceux qu'il vous semble toujours croiser sur votre chemin. Amusez-vous à repérer tous les nombres qui font partie de votre vie ; vous verrez qu'ils sont très nombreux.

Des chiffres pour ranger

Chaque nombre exprime non seulement une quantité mais également une énergie et une idée. Les nombres cadencent l'univers car ils sont entre autres associés à la croissance, à la distance, à l'espace, au temps, à l'architecture, à la musique et à la tradition.

Dans la culture chinoise ancienne, la science des nombres symbolise la révélation des lois célestes. Tandis que l'énergie yang est associée au chiffre impair, l'énergie yin est attribuée au chiffre pair.

Le nombre de fauteuils installés dans votre salon ou le nombre de lampes disposées dans votre chambre détermine en partie l'ambiance qui règne dans votre environnement. Inspirez-vous des énergies et de la symbolique des nombres pour apporter de l'harmonie dans votre intérieur.

o **Le 1** est le principe universel, le commencement, le meilleur, le système masculin et le père. S'il peut se suffire à lui-même, il évoque également le célibat, la solitude et l'égocentrisme. Son énergie est yang.

o **Le 2** exprime l'ambivalence, le partage, la dualité mais aussi la complémentarité. Il représente la mère et le principe féminin, ainsi que le couple. Son énergie est yin.

o **Le 3** exprime la multiplicité. Dans la tradition chinoise, il représente la perfection, la totalité – le ciel, l'homme et la Terre – et l'achèvement.

Dans la tradition chrétienne, le 3 renvoie à la Trinité – au Père, au Fils et au Saint-Esprit. Le 3 évoque la jeune famille. Son énergie est yang.

o **Le 4** évoque le tangible, la solidité et le terrestre. On songe aux quatre phases lunaires, aux quatre saisons, aux quatre points cardinaux... Le 4 symbolise la famille établie. Son énergie est yin.

o **Le 5** représente le milieu, le centre, l'harmonie et l'équilibre. Dans la tradition chinoise, il est le mariage du ciel (le 3) et de la Terre (2) ; les éléments sont au nombre de cinq : le bois, le feu, la terre, le métal et l'eau. De manière universelle, le 5, ce sont les cinq doigts de la main ou l'étoile à cinq branches. Le 5 incite à la convivialité. Son énergie est yang.

o **Le 6**, c'est deux fois 3, donc deux fois plus de perfection selon la tradition chinoise : le 6 devient donc symbole de pureté. Dans la tradition chrétienne, la création du monde s'est faite en six jours puisque, le septième jour, Dieu s'est reposé. Composée de deux triangles, l'étoile de David a six pointes. Le 6 évoque l'abondance. Son énergie est yin.

o **Le 7** évoque le cycle des jours de la semaine ainsi que les quatre périodes lunaires qui durent sept jours. Symbole d'un achèvement, le 7 exprime également le renouvellement. C'est un chiffre de perfection. Son énergie est yang.

o **Le 8** renvoie aux huit directions de la boussole. En Chine, il représente l'ordre et l'harmonie, et rappelle les huit trigrammes du *Yi-king*. Le 8 suggère une très forte stabilité, une très grande assise dans la vie. Son énergie est yin.

o **Le 9** suggère, dans la tradition chinoise et à l'instar du 5, le centre de la Terre, car c'est le neuvième point au centre de la rose des vents et de ses huit directions. 9 est le nombre de mois nécessaires à la conception d'un enfant ; il symbolise donc le nombre de la réalisation. Le 9 est un chiffre de plénitude. Son énergie est yang.

○ **Le 0** est un nombre sans valeur mais qui, s'il est placé à droite d'un chiffre ou d'un autre nombre, seul ou accompagné d'autres zéros, en multiplie la valeur. Même si sa représentation graphique évoque une harmonie, il exprime également, et pour d'autres raisons, le vide, l'absence et le néant, ce dernier étant un nouveau départ possible pour un recommencement. Son énergie est neutre.

Nom, prénom

Si les mots et les noms racontent le monde, ils laissent également des traces indélébiles dans notre mémoire, consciente ou inconsciente. Ce prénom vous rappelle un homme que vous avez tendrement connu ? Cet autre était celui de votre tante, si douce et généreuse ? Et cet autre encore évoque le sale gamin qui, il y a quelques années déjà... vous tirait les cheveux à la récréation ?

Tout le monde connaît l'importance des prénoms, tout le monde a passé des heures, des semaines entières à choisir le prénom de l'enfant à venir. Toute dénomination, qu'il s'agisse de celle d'une personne, d'une société, d'une rue ou d'une villa, contient une vibration particulière, qui correspond ou non à la valeur que vous avez souhaité lui attribuer.

Ouvrez vos oreilles à tous les mots

Chaque son recèle une valeur psychologique et sociale, un peu comme s'il détenait un pouvoir : c'est la raison pour laquelle un chanteur ou un comédien choisit parfois un pseudonyme, surtout si le nom qui lui a été donné à sa naissance possède une euphonie qui le désavantage, qui n'est pas à la mode ou qui semble contraire à ses impératifs commerciaux.

Sans doute avez-vous souvent entendu dire qu'il y a de la fraîcheur – et une certaine odeur de sainteté... – chez les Marie, une fière allure et une certaine majesté chez les Catherine et les Élisabeth. Si l'on excepte l'influence des prénoms sur le comportement, celle du nom donné à une raison sociale est tout aussi capitale : nommer *Au pain perdu* la boulangerie que l'on vient d'ouvrir n'est pas très judicieux, car l'artisan risque de se retrouver très vite avec son pain sur les bras ! Ça vous paraît évident ? Pourtant, de telles choses arrivent bel et bien. Comme si les gens n'avaient pas d'oreilles...

Trois petits conseils pour s'installer, nommer et déménager

○ Si vous voulez créer votre propre société, soyez très vigilante quant au choix de son identité commerciale : car les syllabes que vous choisirez porteront un message permanent qui sera délivré à l'environnement tant intérieur qu'extérieur de l'établissement.

○ Si vous souhaitez baptiser votre villa, le Feng Shui recommande également de bien réfléchir. L'appeler *Neiges d'antan* attirera des vibrations de froideur éternelle et d'humidité : de quoi glacer toute la maisonnée ! Lui attribuer un nom qui réunit le prénom de vos enfants ne les aidera pas à couper le cordon avec vous ! Et on en passe...

○ Si vous êtes sur le point de déménager, faites très attention à l'énergie correspondant au nom de la ville ou de la rue : s'installer rue du Cloudans-le-Fer sera bien moins confortable que de loger rue de la Concorde... Et habiter à Joyeuse sera follement plus drôle que de résider à Tonnerre !

Les couleurs du monde

Les couleurs émettent des vibrations sensibles – les non-voyants parviennent à percevoir certaines teintes uniquement au toucher ; d'autre part, elles exercent une influence profonde et décisive sur notre comportement et notre humeur : votre moral est au beau fixe quand le ciel est bleu, car le bleu calme et relaxe ; les professionnels de la santé portent le plus souvent des tenues vertes, car le vert suscite l'espoir et favorise la guérison.

Peintures, tentures, vêtures

Nombreux sont les chercheurs et les praticiens qui ont démontré qu'ils pouvaient soigner des maux bénins, voire plus importants, en diffusant des sources de lumière à travers des filtres de couleurs : appelée « chromothérapie », cette médecine énergétique soigne les problèmes d'ordre physiologique et psychologique. Inspirez-vous de cette technique pour créer l'ambiance qui régnera dans votre intérieur ; une ampoule de couleur ou un simple abat-jour coloré peuvent amplement vous aider dans cette tâche.

Selon l'énergie qu'elles irradient, les couleurs sont à sélectionner avec précaution : qu'il s'agisse de repeindre votre appartement, de tapisser les murs, de changer vos tentures ou tout simplement de vous habiller le matin.

Petit conseil : épargnez vos efforts et choisissez les vêtements que vous allez porter au tout dernier moment. En effet, préparer ses affaires la veille est contraire à la philosophie Feng Shui, qui recommande d'adapter sa tenue du jour à l'humeur du réveil. Si vous êtes raplapla, le rouge vous tonifiera ; si vous êtes stressée, le bleu vous détendra.

Ne vous laissez pas aveugler

Chaque couleur a son langage et son pouvoir. C'est ce qu'ont bien compris les industriels de l'agroalimentaire, qui étudient avec infiniment de soin l'emballage craquant qui vous incitera à mettre ce paquet de yaourts et non cet autre dans votre panier : enveloppé de vert, de jaune ou de blanc, ce produit évoquera pour vous une impression de nature et de fraîcheur. La couleur, c'est la vie, mais c'est aussi la consommation. Alors attention !

Du blanc au violet, la palette est immense

Les couleurs possèdent leur propre langage, c'est bien connu, et les mots révèlent à leur tour l'énergie qui correspond à chacune d'entre elles. « Voir la vie en rose », « rire jaune », « être bleu de colère », « se mettre au vert », « voir rouge », « être blanc de peur », « broyer du noir » : voilà une belle palette d'expressions qui désignent à chaque fois un sentiment.

De l'état d'âme d'une personne à l'atmosphère d'un lieu, il n'y a qu'un pas, car la couleur révèle toujours la personnalité du propriétaire. En entrant dans un appartement sombre aux murs gris, vous vous dites immédiatement, un peu glacée : « Hum ! Ici, ça ne respire pas la gaieté ! » Mais en pénétrant dans une maison aux couleurs chaudes et pétillantes, vous pensez sans hésiter : « Ah ! Que ses habitants doivent être gais et accueillants ! »

Pour vous donner de l'inspiration dans le décor de votre propre demeure, voici la vibration des principales couleurs :

Le blanc permet tout

Tandis que le blanc symbolise la pureté et la virginité dans la plupart des pays occidentaux, en Chine il est la couleur du deuil. Le blanc, c'est aussi l'absence de couleur, cette absence que rappelle le mot *blanc-seing*, un papier déjà signé où l'on peut écrire tout ce que l'on veut : le blanc ouvre donc la possibilité à tout. Parce qu'il renvoie les rayons du soleil et rejette la chaleur, il est préférable de se vêtir de blanc dans les pays chauds.

Le noir, c'est chic

Le noir reste la couleur de l'obscurité et des ténèbres. Valeur foncée par excellence, opposée au blanc – « passer du blanc au noir », c'est passer d'une extrémité à l'autre –, le noir est associé à la mort (le corbeau), au malheur (le chat noir) et à la sorcellerie (le sacrifice de poules noires). Parce qu'il absorbe la chaleur, il est difficile de porter du noir en été.

Signe d'une sobriété raffinée, le noir est synonyme de bon goût. S'habiller chic, c'est aussi porter du noir. Le noir par petites touches, par quelques objets ou un peu de mobilier signe votre élégance. Trop présent, il devient vite oppressant.

Le gris sera lumineux

Valeur intermédiaire, parfois un peu terne, le gris peut rendre une atmosphère triste, sauf quand il est brillant comme la teinte de l'argent et les écailles d'un poisson. Attention ! car on lui attribue parfois une connotation de salissure. Et quand on est gris, c'est que, en état d'ébriété, on perd ses facultés.

Alors, si vous aimez le gris, choisissez-le lumineux.

Le rouge vibre

Le rouge est la couleur du sang et de la passion, de la guerre et des larmes, mais aussi de l'amour et de l'énergie sexuelle ; en Chine, une jeune fille se vêtira de rouge le jour de ses noces. De même, c'est la couleur de la révolution – *Le Petit Livre rouge* de Mao Tse Toung –, de la révolte et de la colère. Il stimule, réchauffe et fortifie.

Avec leurs vibrations effervescentes, quelques touches de rouge vous dopent. Mais évitez-le si vous êtes nerveuse, car il perturbe et rend excessive.

Le jaune irradie

Intense et aveuglant, le jaune évoque le soleil, ou l'or quand il est brillant. En Chine, il est la couleur de l'empereur et, dans le théâtre, il est synonyme de cruauté et de cynisme. En dépit des variations émanant de chaque culture, le jaune met toujours de bonne humeur. Il est tonique et reconstituant.

Avoir du jaune chez vous, c'est faire entrer le soleil dans votre maison.

Le bleu inspire

Le bleu est la couleur du ciel et de la pureté – on parle du conte bleu pour les enfants –, mais il est aussi la couleur de l'émotion – on est bleu d'émotion, on a une peur bleue, on entre dans une colère bleue... Le bleu est aussi la couleur du spirituel, de la paix et de l'eau, de la fraîcheur, du rêve, de la fidélité et de la royauté. Il favorise la créativité ; il calme et détend.

Usez et abusez du bleu si vous êtes dans une phase dépressive. Dans une chambre d'étudiant, une douce nuance de bleu aide à se détendre et à fixer son attention.

Le vert stimule

Le vert symbolise le printemps et la nature : les verts représentent les écologistes ; on se met au vert, on va au diable vert... C'est aussi la couleur de l'espoir.

Le vert est rafraîchissant et stimulant. Il est idéal dans une pièce qui est trop petite ou dont l'atmosphère est étouffante. Dans une région humide, peindre ses volets en vert assèche l'intérieur des bâtisses et procure une impression de refuge confortable.

L'orange séduit

Comme l'or, l'orange est symbole de richesse et de séduction. Il évoque l'été : l'orange, c'est la chair de l'abricot, du melon et de la pêche, et c'est la couleur du bronzage. Il met également en appétit. Il adoucit et diminue le stress.

Avoir de l'orange chez vous, c'est ouvrir votre demeure à la chaleur du Sud.

Le rose languit

Le rose, c'est la couleur des petites filles, c'est l'expression de la douceur et de la langueur.

Il apaise les décharges émotionnelles trop brutales. Et si vous lui faisiez un peu de place dans votre intérieur ?

Le violet tempère

En Occident, le violet a été très présent dans la religion chrétienne et dans le deuil, puis il est devenu la couleur de la tempérance et de la réflexion – le violet est la tenue des évêques. Il symbolise la spiritualité, le secret et le sacré.

Le violet est idéal pour un coin intime ou secret, destiné au recueillement, voire à la méditation. Et déjeuner dans un service de table violet accroît la volonté de régime et diminue l'appétit : ça vaut peut-être la peine d'essayer, non ?

On récapitule ?

- Les rouges, les jaunes et toutes les couleurs chaudes possèdent un pouvoir stimulant, parfois excitant.

- Les bleus, les violets et toutes les couleurs froides possèdent un pouvoir apaisant.

- Une couleur brillante est lumineuse, active et positive.

- Une couleur mate est éteinte, passive et négative.

À chaque pièce sa dominante

C'est à vous de jouer maintenant : selon sa fonction et selon vos propres motivations, accordez à chaque pièce de votre habitation une dominante de tons. Vous ne parviendrez pas à travailler sereinement dans un bureau dont les murs sont écarlates : vous ne pourrez pas vous concentrer. Et si vous êtes frileuse, ne repeignez surtout pas votre salon en vert : vous seriez frigorifiée !

En revanche, l'ensemble des teintes de l'arc-en-ciel disposées çà et là, en petites touches savamment agencées, sont les bienvenues chez vous : elles apportent autant de plaisir que lorsqu'elles décorent le ciel. La principale erreur à éviter est d'utiliser une teinte que vous n'aimez pas beaucoup, même si elle est réputée bénéfique : avant tout, vous devez vous plaire dans votre intérieur, qui est le reflet de votre personnalité, de vos goûts, de vos aspirations.

Passons donc en revue les principales pièces :

L'entrée

Pour faire vibrer un bon Feng Shui chez vous, l'entrée doit témoigner de tons chaleureux, qui invitent à pénétrer dans les lieux.

Le couloir

Évitez de mélanger trop de tons différents et fuyez les papiers peints aux motifs tarabiscotés : le couloir est un lieu de passage qui se doit de rester le plus neutre et le plus feutré possible.

Le salon et la salle à manger

Les couleurs chaudes telles que le rouge, le jaune et l'orange ont toutes leur place dans un salon ou une salle à manger : elles apportent la note de gaieté, de plénitude et de convivialité indispensable à votre intérieur.

La cuisine

De même que les deux pièces précédentes, la cuisine doit être plutôt claire afin d'aérer son atmosphère. Préférez des tons brillants, qui sont dynamiques.

La chambre

Les couleurs froides telles que le bleu, le violet ou le mauve, le blanc et le gris sont à utiliser dans la chambre : elles favorisent la détente et le sommeil.

La salle de bains

De même que dans la chambre, choisissez des couleurs froides pour mieux vous relaxer.

Faites de la lumière, faites de l'ombre

Source de vie, la lumière est indispensable à votre énergie et à votre enthousiasme, et constitue un élément essentiel de votre existence. Elle évoque l'intelligence – on parle d'un « esprit de lumière », on est « une lumière » –, la réussite – « être en pleine lumière », « être sous les feux des projecteurs » –, l'éclaircissement ou la révélation – « mettre en lumière », « faire la lumière ».

Comme la lumière, l'ombre est tout aussi indispensable à votre vie : vous en avez besoin pour vous reposer, pour prendre du recul, pour méditer, parfois pour vous faire oublier ou pour vous recentrer. Au sein de votre demeure, sachez faire la part des choses entre la lumière et l'ombre.

Variez les éclairages

Vous l'avez mille fois constaté : tandis qu'un petit jour gris mine votre moral, un soleil éclatant vous réjouit aussitôt. Parce que le soleil, c'est la vie, illuminez votre intérieur. La lumière va y attirer le *ch'i*, que ce soit par un éclairage naturel ou artificiel ; la lumière vous donnera envie d'être chez vous, vous rendra de bonne humeur et accueillera au mieux vos invités. Alors entourez-vous de vie ! Mais le Feng Shui recommande quelques attentions particulières, car vivre dans un excès de lumière – comme de pénombre – nuit à votre équilibre. Voilà pourquoi il vous faut apprendre à en jouer avec subtilité.

Quelques petits conseils

○ Employez toutes les ressources des différents éclairages pour tricher avec l'architecture existante : une lumière dirigée vers le haut élève un plafond.

○ Utilisez les éclairages indirects : plutôt que de fixer un plafonnier unique, disposez une lampe sur un meuble, accrochez un spot, choisissez des appliques. Çà et là, toutes ces sources de lumière donneront vie aux coins et aux recoins de votre demeure.

○ Choisissez des lampes de forme plutôt arrondie, avec un abat-jour au profil galbé : elles sont favorables pour obtenir une bonne énergie vitale. Évitez de suspendre une forme pointue car une arête diffuse un *ch'i* négatif.

○ Fuyez les néons, dont la lumière blafarde et éteinte produit des radiations néfastes, entraînant de la morosité, des migraines et une perte de concentration.

○ Installez des lampes de sol : elles offriront un air de fête au moindre de vos pas.

○ Achetez un ou plusieurs halogènes : ils sont parfaits pour intensifier les secteurs affaiblis en *ch'i*. Plus une pièce est éclairée, plus la qualité du *ch'i* est rehaussée.

○ Prenez des spots : ils ont l'avantage de pouvoir être dirigés vers des zones précises. Ils activent certains points – un bureau ou une étagère – et permettent au reste de la pièce de jouir d'un éclairage plus doux.

○ Pensez aux bougies : par leur flamme dansante, elles invitent au romantisme et créent une certaine féerie.

○ Disposez une belle lampe dans l'entrée : elle offre de la chaleur et génère de l'enthousiasme.

○ Si votre habitation est trop sombre, laissez en permanence quelques lampes allumées.

○ N'oubliez pas d'ouvrir vos volets en quittant votre domicile : en votre absence, pourquoi priver votre logement de la clarté du jour ? L'obscurité étouffe le *ch'i* ; au contraire, ce dernier doit pouvoir circuler librement.

○ Mais faites attention : une lumière trop forte est vraiment trop yang. Même si elle est liée à un sentiment euphorique et de bien-être, une lumière excessive risque de vous fatiguer et d'altérer votre état de santé.

Jeux d'ombre

L'ombre est associée à la réflexion, au secret, au repli sur soi-même ; nombreuses sont les expressions qui en témoignent : « quelque chose se trame dans l'ombre », « être à l'ombre », « se mettre à l'ombre », « vivre dans l'ombre »... Tandis que d'autres introduisent une connotation négative : « une ombre au tableau », « faire de l'ombre à quelqu'un »...

L'ombre est le complément salutaire de la lumière, et leur équilibre génère l'harmonie, crée une force positive et dynamique, à la manière d'un damier où le contraste entre le noir et le blanc crée un rythme énergique.

Mais attention ! car l'excès engendre de l'anxiété et peut mener à la dépression : vivre en permanence dans la pénombre est très mauvais tant pour votre organisme que pour votre moral.

Petit conseil : dans votre intérieur, équilibrez les jeux d'ombre et de lumière ; ils vous apporteront la sérénité et stimuleront favorablement le *ch'i*.

« Miroir, mon beau miroir »

Parce qu'il répercute la lumière et réfléchit ce qui lui fait face, le miroir est un instrument précieux dans la tradition Feng Shui. Précieux mais parfois dangereux à manipuler.

Sans doute vous arrive-t-il de vouloir déplacer vos meubles, de rénover une pièce ou deux, voire de tout refaire chez vous afin de vous sentir mieux. Vous avez raison : c'est ce qui s'appelle « renouveler les énergies ». Mais c'est alors que la novice en Feng Shui que vous êtes risque fort de jouer des miroirs sans en percevoir les conséquences. Car si la pose d'un miroir transforme la vision d'une pièce, une place inconsidérée peut vous créer bien des ennuis.

Merveilleuses illusions

D'un point de vue purement esthétique, le miroir apporte des solutions à de nombreuses tracasseries, c'est connu : en faisant illusion, il permet d'agrandir une pièce ou de la rendre plus lumineuse ; dans un lieu trop étroit ou trop sombre, il favorise la circulation du *ch'i* ; dans un espace en L, une grande glace donne l'impression que la salle se prolonge au-delà du renfoncement ; intercaler des miroirs de part et d'autre d'un long couloir procure un effet d'élargissement ; un miroir permet enfin de détourner les effets néfastes d'un angle saillant, d'une « flèche empoisonnée ».

Et nuisibles effets

En suivant les principes ci-dessous, vous jouerez des miroirs avec efficacité sans en subir de désagréments.

1. Chaque miroir en pied doit être assez haut pour vous refléter en entier. Votre silhouette ou votre visage ne doivent pas être coupés, cela nuirait à votre santé et à votre intégrité.

2. Évitez les miroirs en damier qui, non contents de perturber le *ch'i*, renvoient une image fragmentée.

3. Ne vous regardez pas dans un miroir à facettes, car il risque de déstructurer votre propre énergie.

4. N'accrochez pas deux miroirs face à face : ils se renvoient les vibrations comme dans une partie de ping-pong. Si vous deviez vous installer entre les deux, vous seriez alors « traversée » par ce mouvement incessant et trop dynamique, qui vous empêcherait de vous concentrer. Un miroir placé en face d'une surface vitrée provoque le même effet.

5. Ne placez pas une glace en face d'une fenêtre ou d'une porte, car elle renvoie à l'intérieur le *ch'i* qui est dans votre demeure.

6. Pour produire ses meilleurs effets, un miroir doit être propre ; il doit être remplacé dès qu'il est voilé ou piqué.

7. Une glace fêlée brise l'image qu'elle reçoit et qu'elle renvoie, en entraînant des vibrations malheureuses.

8. Toute surface dure et luisante, voire lisse – une poignée de porte, un sous-verre, un objet en métal poli, un marbre brillant, une porte intérieure vitrée... –, peut créer un effet « miroir ». Il suffit d'un peu de lumière pour provoquer cette réaction. Mais attention : mal évaluée, cette réverbération risque de déséquilibrer le *ch'i* d'un espace que vous pensiez jusqu'alors harmonieux.

9. Un miroir concave retient l'énergie, bonne ou mauvaise, qu'il reçoit. Il est donc idéal pour retenir le *ch'i* qui s'échappe.

10. Un miroir convexe renvoie l'énergie reçue, quelle qu'elle soit et dans toutes les directions.

Ayez du nez

Par votre odorat, vous recevez des vibrations, bonnes ou mauvaises, qui influencent vos états d'âme. Les messages olfactifs que vous recevez font resurgir des bribes de votre passé pour vous faire retrouver ce temps perdu, que ce soit à travers un gâteau, des pois de senteur, du vent marin ou un parfum.

L'aromathérapie utilise l'ensemble de vos mémoires olfactives pour agir, en surface ou en profondeur, sur votre bien-être et votre santé. Grâce à la diffusion d'huiles essentielles, cette médecine douce renforce votre système de défenses naturelles. Son pouvoir curatif, remarquable pour lutter contre le stress, réside dans sa capacité à induire un état de relaxation et à créer une sensation de détente. Tandis que certaines huiles essentielles ont un effet sédatif, d'autres stimulent, d'autres encore rétablissent un équilibre perturbé. D'une manière générale, elles apportent de l'harmonie tant sur le plan physique que psychique. Alors ne vous en privez pas !

Un bouquet de fragrances

L'odeur de votre intérieur, ce que vous sentez dès que vous entrez dans votre demeure, provoque en vous des réactions. Et si certaines sont séduisantes et vous invitent à vous installer confortablement chez vous, d'autres risquent de provoquer l'effet contraire et ne vous donnent qu'une envie : fuir ! Il est quand même plus agréable de pénétrer dans une maison délicatement parfumée que dans un lieu qui sent le tabac froid ou le graillon !

Apportez un grand soin aux senteurs et aux arômes car, dans votre environnement, ils créeront une atmosphère subtile. Quelques gouttes d'huiles essentielles ou des fumigations d'encens apportent le bonheur dans la maison. Et en respirant ces fumigations qui activent certains pouvoirs, vous modifiez également les vibrations de votre corps et de votre mental.

En voici des exemples :

○ L'aloès vera chasse les ondes maléfiques ainsi que vos mauvaises pensées.

○ L'ambre jaune stimule l'esprit et aide à la méditation.

○ Le benjoin développe vos capacités mentales et favorise les études. Dans un commerce, on dit qu'il attire la clientèle et apporte la prospérité.

○ La larme-de-Job réveille les relations familiales et amicales. Elle protège une demeure et ses occupants.

○ La manne protège des maléfices et génère des gains matériels, au jeu ou en affaires.

○ La myrrhe entraîne un bon état de santé et stimule l'évolution spirituelle.

o L'oliban possède une action purificatrice qui fait fuir les mauvaises énergies.

o La résine de pin prolonge, dit-on, la jeunesse... Quoi qu'il en soit, elle revivifie l'atmosphère de votre maison.

o Le santal, par son action purificatrice, éloigne les mauvaises vibrations.

Allez, un peu de ménage

Désormais, vous savez tout sur ces énergies qui peuvent agir sur votre environnement et sur vous-même. Mais si, vous l'avez lu à la fin du cha-pitre 1, souvenez-vous. Bon, on récapitule : le *ch'i* est une énergie mou-vante, positive et vitale, que vous devez absolument attirer chez vous ; le *sha* est une force stagnante et négative, qu'il vous faut déloger à tout prix. Quant au *shar ch'i*, c'est le contraire du *ch'i* : cette vibration est également mobile, mais négative et violente.

Pour savoir comment faire avec ces trois énergies, voici leurs caractéris-tiques et voici des astuces pour les garder bien au chaud ou au contraire les mettre à la porte :

Comment le garder ?

Le *ch'i* est le pilier de la pratique du Feng Shui. L'attirer, l'animer et le retenir vont améliorer et enchanter votre vie.

Le *ch'i* se crée naturellement : quand la beauté apparaît dans la nature, quand des enfants dansent en ronde, pendant un intense moment d'amour ou d'émerveillement, grâce à un rire éclatant ou une bonne respi-ration. Le *ch'i* vibre autour d'un cours d'eau qui sinue dans la campagne verdoyante, au-dessus du modelé d'une montagne, quand se rencontrent la symétrie et l'équilibre cosmique des éléments.

Du chaud, du pétillant, de l'éclatant

Dans votre demeure, le *ch'i* est l'équilibre entre les énergies yin et yang, qui vous procurera la joie et la santé. Car – vous le savez –, quand l'une de ces deux forces est défaillante, l'infortune risque de s'abattre sur votre destin. À l'instar d'une bonne respiration chez quelqu'un, une parfaite circulation d'énergie au sein d'une maison est un facteur d'épanouissement et de bonheur pour tous ses occupants.

Alors, comment améliorer le *ch'i* de votre environnement ? Entourez-vous de ce qui est chaud, pétillant, éclatant et coloré : cela créera une dynamique enjouée. L'éclairage – vous le savez – est essentiel au *ch'i*, ainsi que de nombreux accessoires :

○ les plantes, les fleurs en soie ou fraîchement coupées et les aquariums ;

○ les accessoires, les gadgets ou les objets à mouvement circulaire tels que les lampes tournantes, les tables pivotantes, les portes battantes, les ventilateurs de plafond, les mobiles, les éoliennes, les girouettes, les moulins à vent, les jets d'eau tournoyants et les globes terrestres ;

○ les couleurs et les senteurs ;

○ les roches, les sculptures et les statuettes ;

○ la musique, les carillons éoliens, les gongs et les cloches ;

○ les objets creux et longs tels que le bambou, les carillons, les orgues et les flûtes ;

○ tout ce qui chatoie : les miroirs, les cristaux, les lumières et les réflecteurs de lumière.

De belles plantes

Vous pouvez vivifier le *ch'i* en agissant directement sur le domaine de vie qui est déficient.

Ainsi, au sud-est, dans le secteur de la richesse, si vous placez des plantes saines et fortes, elles favoriseront l'accroissement de vos revenus.

Un pêcher, qu'il soit naturel ou artificiel, amène la fortune. L'eau, que ce soit une fontaine ou un aquarium, favorise vos négociations et autres transactions financières. Placées sur votre bureau, des pièces de monnaie génèrent du bénéfice dans vos affaires.

Des objets rouges

Au sud, dans le secteur de la renommée, accentuez la lumière : plus l'éclairage est vif, plus le Feng Shui est favorable. Disposez des objets ou des fleurs rouges, ou des statuettes de chevaux en marche. Mais évitez surtout les animaux en train de ruer !

Roses, pivoines et cristaux

Au sud-ouest, dans le secteur de l'amour, des roses rouges raviveront l'amour, des pivoines activeront vos projets de mariage et des cristaux presseront vos réalisations. Un couple de canards mandarins, en bois ou en jade, font avancer les noces et assurent la fidélité des époux.

Des poissons rouges, un poisson noir

Au nord, dans le secteur du travail, le meilleur générateur est un aquarium, car il est rempli d'eau et d'animaux vivants ; prenez des poissons rouges et ajoutez un poisson noir, qui absorbera les énergies négatives. Un conseil : évitez les poissons carnassiers.

Des fleurs et un globe

À l'ouest, dans le secteur des enfants et de la créativité, des fleurs fraîches, ouvertes et vivement colorées, redonnent du tonus au Feng Shui : elles apporteront bien-être et harmonie à des enfants qui s'épuisent trop vite dans leur scolarité, dans l'apprentissage de la vie et dans leurs nombreux jeux. Placé près de leur bureau, un globe terrestre favorise l'étude.

Un prunier

À l'est, dans le secteur de la santé et de la famille, des fleurs ou des plantes amélioreront vos relations familiales ; même artificiel, un prunier en fleurs crée des relations harmonieuses entre les membres de la maisonnée. Veillez à ce que les végétaux restent vivaces, ôtez les feuilles et les fleurs mortes. N'hésitez pas à changer votre plante si elle tend à dépérir. Un conseil : écartez les plantes et les fleurs à épines.

Comment s'en débarrasser ?

Le *sha* est source de malheur. Quand un événement néfaste vous touche de près, quand votre santé est en péril, quand des disputes éclatent au sein de votre famille, quand votre vie professionnelle bat de l'aile, quand des problèmes d'argent vous menacent, c'est que le *sha* trame quelque chose de nuisible.

Déployez quelques efforts – mais si, c'est possible ! –, car le déséquilibre qui surgit dans votre vie a de quoi être vraiment inquiétant. Reconnaissez tout de suite ce qui se passe : le *ch'i* s'est transformé en *sha* et vous prépare une mauvaise farce. Observez minutieusement la cause de cette métamorphose : est-ce le déplacement d'un objet doté d'une lourde symbolique ? un nouveau meuble que vous avez mal placé ? une plante qui se dessèche ? un bol ébréché qui n'a pas été mis à la poubelle ? Ouvrez l'œil, et le bon !

Pas de relents ni de coins sombres

Voici quelques astuces pour chasser le *sha* :

○ Parce que les mauvaises odeurs attirent le *sha*, videz les cendriers pleins et nauséabonds, installez une hotte dans votre cuisine et aérez votre maison tous les jours.

○ Suspendez des flûtes ou des bambous creux, voire un carillon éolien : cela adoucit les mauvais effets du *sha*.

○ Posées sur le sol ou suspendues, des plantes à larges feuilles dissimulent les effets négatifs des coins agressifs.

○ Une lumière placée dans un recoin sombre fait fuir les vibrations néga-tives.

Halte au fatras !

Vivre dans le désordre entraîne la confusion de la pensée et brouille les relations avec vos proches. Il est donc indispensable de ne pas se laisser aller. Car tous les endroits surchargés attirent le *sha*.

○ Ne laissez rien traîner, rangez vos vêtements et vos chaussures.

○ Remettez toujours les chaises à leur place.

○ Rangez les objets qui encombrent le passage.

○ Soulagez régulièrement vide-poches et portemanteau.

○ Faites un petit ménage sur votre table de travail et votre bureau.

○ Videz régulièrement les poubelles.

○ Et n'oubliez pas votre débarras, votre cave ou votre garage : surchargé de vieilleries ou de choses parfaitement inutiles, il permet au *sha* de s'installer puis, dès qu'il voit une porte ouverte, de s'engouffrer chez vous.

Ouvrez l'œil

Après avoir chassé le nuisible et le malsain, vous retrouverez un environnement sain, et la voie du désordre s'ouvrira naturellement à l'ordre, à la netteté, au renouveau, à la transparence. Enfin, vous pourrez paresser en toute sérénité.

Alors n'attendez pas qu'il vous arrive malheur pour inspecter les coins et les recoins de votre demeure. Si vous aimez rester tranquillement chez vous à ne rien faire, apprenez à avoir l'œil Feng Shui, c'est-à-dire à devenir fine observatrice : si, d'un simple regard, vous parvenez à juger que rien ne trouble le bon ordre établi ou à repérer l'objet mal placé, vous aurez gagné : vous n'aurez plus à redoubler d'efforts pour affronter les effets perturbateurs du *sha*.

Comment l'arrêter ?

Le *shar ch'i* est le contraire du *ch'i* : c'est « le souffle qui tue », ou le mauvais *ch'i*. Il suit le trajet d'une « flèche empoisonnée » qui vise une cible précise, il se déplace selon une ligne droite dont le point de départ est un angle saillant, un pilier ou une poutre. Une route toute droite est porteuse de *shar ch'i*, alors qu'une voie sinueuse est génératrice de *ch'i*, car sa ligne est courbe et douce.

Face à un immeuble

Si vous habitez en face d'un immeuble dont l'architecture est imposante et élancée, vous devez neutraliser cette « flèche empoisonnée », vous devez en amoindrir la portée et la vue.

Posez des stores à lamelles transversales qui vont « saucissonner » l'édifice tout en laissant passer la lumière, ou placez des voilages assez épais devant vos fenêtres.

Si vous êtes dans une maison individuelle, plantez des arbres feuillus pour perturber l'impact de l'immeuble perturbateur.

Ces deux méthodes détournent ou dissolvent le *shar ch'i* avant qu'il atteigne votre demeure.

Grâce aux bambous et aux miroirs

Parce qu'elle se déplace toujours en ligne droite, il est facile de prendre toutes les mesures pour éviter les effets destructeurs de la « flèche empoisonnée ». Il suffit de placer un obstacle qui rompt son parcours, d'utiliser un miroir qui détourne sa mauvaise influence :

○ suspendez des bambous creux ou un carillon éolien contre une poutre ou le long du mur saillant ;

○ faites refléter l'angle de bâtiment, le poteau électrique ou les poutres apparentes dans un miroir convexe afin qu'il renvoie et expulse le *shar ch'i* qu'ils génèrent.

Vingt-cinq façons de vous mettre le pied à l'étrier

I. N'oubliez pas que votre environnement est une source de bonne et de mauvaise énergie

Et pensez-y tous les jours.

2. Sachez que vous condensez cette énergie

Oui, vous êtes un peu comme un accumulateur d'énergie.

3. Connaissez la valeur des cinq éléments

Si vous voulez penser Feng Shui, oubliez un peu les notions occidentales.

4. Procédez à de petits exercices

Par exemple, cherchez à définir le type de vibrations émises par les appareils qui vous entourent : votre cuisinière c'est le Feu, votre douche c'est l'Eau, vos plantes c'est le Bois, etc.

5. Continuez à l'extérieur

En traversant la rue, dans votre quartier, déterminez le type d'énergie représentée par les commerces : une papeterie c'est le Bois, une boulangerie c'est le Feu, une serrurerie c'est le Métal, un bar c'est l'Eau, etc.

6. Remarquez les boutiques qui périclitent

Quelle est leur énergie ? Sont-elles près d'un commerce dont l'élément crée un mauvais Feng Shui ? Où est le coupable ?

7. Ne soyez pas hostile à cette idée : le monde est rempli de magie

Adoptez l'idée du *pa kua*. En premier lieu, entraînez-vous dans votre tête à découper votre habitation en neuf secteurs de vie, et nommez-les. Puis passez aux travaux pratiques.

8. N'oubliez pas que, dans la tradition chinoise, le nord est en bas et le sud en haut

Pensez-y, même si c'est un peu déboussolant.

9. Classez tous vos objets en 8 groupes

Les huit catégories à faire sont : les sculptures et les objets lourds, les représentations de plantes et d'animaux, les instruments qui émettent des sons, les objets circulaires, les objets lumineux et réfléchissants, les objets très colorés, les objets longs et creux, enfin les instruments électriques et bruyants.

10. Faites le tour du propriétaire

Associez un Élément à chaque chose que vous rencontrez dans votre demeure.

11. Disposez des plantes/fleurs à l'est et au sud-est

Car l'est représente le secteur de la santé et de la famille, et le sud-est le secteur de la richesse.

12. Placez votre aquarium au nord-ouest

Car le nord-ouest, c'est le secteur des aides et des voyages.

13. Suspendez un carillon éolien à l'ouest

L'ouest est le secteur des enfants et de la créativité : cela augmentera la chance de vos chérubins.

14. Disposez des cristaux au nord-est et au sud-ouest

Le nord-est est le secteur de l'éducation et du savoir, le sud-ouest celui de l'amour : cela favorisera le mariage et l'éducation de vos enfants.

15. Mettez la pleine lumière au sud

Parce que le secteur sud est celui de la renommée, vous verrez que votre réputation s'en portera mieux.

16. Installez votre bureau selon les règles du *pa kua*

Que ce soit à la maison ou sur votre lieu de travail.

17. Méfiez-vous des « flèches empoisonnées »

Les « flèches empoisonnées », ce sont tous les angles saillants, toutes les formes hostiles qui se trouvent tant à l'intérieur qu'à l'extérieur.

18. Faites la part du plein et du vide

Placez-vous dans chaque encadrement de porte et jugez de la proportion des volumes, vides et pleins, de toutes vos pièces.

19. Repérez les meubles les plus imposants

Posez-vous quelques questions : quels sont les meubles les plus lourds de votre intérieur ? leur masse est-elle ou non assortie au reste du mobilier ou aux dimensions de la pièce ? trouvez-vous l'atmosphère plutôt légère ou plutôt étouffante ?

20. Déterminez la dominante

Identifiez la couleur dominante de votre chambre, de votre cuisine, de votre salon... Est-elle en accord avec les règles de l'harmonie Feng Shui ?

21. Découvrez l'ombre et la lumière

Trouvez dans chaque pièce les zones d'ombre et de clarté. Sont-elles à égalité ?

22. Faites la chasse aux coins noirs et humides

Car c'est là qu'il vous faudra débusquer l'énergie stagnante et négative.

23. Inspectez vos miroirs

Quelle image renvoient vos miroirs ainsi que toutes les surfaces réfléchissantes ? Se font-elles face ? Certaines sont-elles orientées vers l'extérieur ?

24. Développez votre sens de l'observation

S'il vous reste un peu de courage, passez au dernier point.

25. Et faites le point

Quel est le domaine où vous souhaitez changer les choses ?

chapitre 3

Comment trouver l'amour
et comment faire pour le garder

Un bel intérieur, c'est séduisant

Quand l'amour est là et bien là, pas question de se reposer sur ses lauriers pour autant. Car l'amour, ça se préserve, ça s'entretient, ça se soigne aux petits oignons et ça se consolide. D'autant plus que, comme chacun et chacune sait, vivre en couple n'est pas chose aisée, loin de là. Alors, avis aux paresseuses : il va vous falloir un peu d'énergie pour arriver à vos fins. Mais rassurez-vous : ça en vaut la peine.

Dénicher l'âme sœur n'est pas la tâche la plus reposante qui soit, nager en plein bonheur est proprement exténuant, se remettre en question quand une dispute éclate est épuisant et retrouver un second souffle dans son couple est à chaque fois une épreuve. De toutes les façons, le domaine amoureux réclame une évolution permanente. Autant vous entourer d'excellentes énergies, et c'est là que le Feng Shui entre en scène : car nombreuses sont les astuces qu'il vous propose pour accéder à tous vos désirs sans passer par le surmenage.

Rappelez-vous que l'amour est situé dans le secteur sud-ouest de votre maison : toutes les plantes, les objets, les formes, les couleurs, les sons et les odeurs sont donc à placer en relation avec ce secteur. L'Élément Terre y règne.

Plantes de l'amour, fleurs du plaisir

Qu'elle soit vivante, photographiée ou peinte, toute plante détient une bonne énergie. Les fleurs fraîches possèdent plus de vivacité et d'efficacité mais, au moins, une représentation, ça ne demande pas d'entretien !

Si vous garnissez vos pièces de fleurs fraîchement coupées, cela produira un excellent *ch'i*. Attention ! dès qu'elles se flétrissent, jetez-les, car une plante fanée génère le *sha*. Pour éviter ça, changez l'eau tous les jours et débarrassez-vous des fleurs défraîchies.

La pivoine

Placées dans le secteur sud-ouest de votre maison ou sur votre bureau, des pivoines augmentent vos chances de rencontrer l'âme sœur ou de concrétiser une union.

La rose rouge

Quand elle est rouge et ouverte, la rose symbolise l'amour. N'hésitez pas à en disposer un peu partout dans la partie sud-ouest. Quand elle est séchée, elle ne génère aucun *ch'i* mais, comme toutes les autres fleurs en tissu ou en soie, elle produit toutefois une énergie positive.

La pensée

La pensée apporte le bonheur et l'harmonie dans la famille. Quand elle est jaune ou tire sur les tons orangés, elle stimule le domaine de l'amour.

La primevère

La primevère génère un bon *ch'i*, favorise une rencontre amoureuse et améliore les relations dans un couple.

Le tournesol

Par la découpe de ses pétales et par sa couleur, le tournesol correspond au *ch'i* du feu et de la terre. De plus, il génère une influence qui apaise les amours tourmentées.

L'orchidée

L'orchidée peut réveiller une vie sexuelle qui tourne au ralenti.

La clématite

Associée au *ch'i* du Feu, la clématite favorise la passion.

L'œillet

Grâce à sa forme ronde, l'œillet encourage l'amour et le plaisir, surtout s'il est rouge ou rose.

Le chrysanthème

S'il est d'un ton rouge foncé, le chrysanthème accroît vos chances de succès amoureux.

Le dahlia

Placé au bon endroit, le dahlia possède la même énergie que le chrysanthème.

La tulipe

Quand elle est rouge, la tulipe favorise l'amour ; quand elle est rose, elle accroît le plaisir.

Le cyclamen

Par son feuillage bas, le cyclamen est relié à l'Élément Terre. Il est parfait pour le secteur sud-ouest, surtout si ses fleurs sont violettes – pour la passion –, ou roses ou rouges – pour l'amour.

Le bégonia

Avec son feuillage bas, le bégonia est associé à l'Élément Terre ; il stabilise une relation.

Objets de passion

Toutes sortes d'objets sont à votre disposition. Attention aux représentations masculines et féminines, qui sont à manier avec précaution : tandis que trop de figures masculines empêchent l'épanouissement d'une influence féminine, à l'inverse trop d'effigies féminines ne laissent aucune place à l'homme dans votre foyer. Pour avoir un bon Feng Shui, équilibrez-les.

Un cœur

Choisissez tout bibelot en forme de cœur, de préférence rouge : il encourage l'amour si vous le placez dans le secteur sud-ouest de votre maison, dans votre salon ou sur votre table de travail.

Des amoureux

Une statuette d'amoureux enlacés stimule votre vie sentimentale. L'image d'un baiser ou de deux amants s'embrassant symbolise un lien puissant. La photographie d'un couple aide à la rencontre de l'âme sœur.

Une lampe

Placée dans le secteur sud-ouest de votre maison ou sur votre table de travail, une lampe favorise une rencontre – encore faut-il qu'elle soit allumée ! Si vous êtes seule, laissez une veilleuse éclairée en permanence dans votre chambre, sur la table de nuit de l'absent ou de celui qui n'est pas encore arrivé.

Des canards mandarins

Figurés en couple, des canards mandarins incarnent l'idylle, la fidélité et le bonheur conjugal. Choisissez-les en bois et placez-les dans votre chambre.

N'oubliez pas qu'un canard seul évoque le célibat et qu'au nombre de trois, ils forment une relation triangulaire, ce qui aura pour effet d'introduire une tierce personne qui brisera votre ménage. Un couple, c'est une union ; deux couples, ce sont deux unions. Alors, un couple suffira bien si vous n'avez pas le courage de vous marier deux fois !

Un cristal

Le cristal intensifie les secteurs affaiblis du *pa kua*. Accordez les proportions du morceau de cristal choisi avec celles de votre pièce. Un prisme de cristal qui attrape la lumière du soleil et la renvoie dans toute la pièce rétablit l'harmonie et le bonheur de la famille.

Pas de troisième personne

Qu'elle soit accrochée au mur ou posée sur un meuble, n'exposez jamais une photographie qui vous représente, vous et votre compagnon, en présence d'une troisième personne. Cela serait une source de médisance, de conflit ou de séparation car, symboliquement, celui ou celle qui se trouve au milieu viendra désunir les deux autres. Ne la montrez donc pas, gardez-la simplement dans un album.

Formes aimables

Pour activer le secteur sud-ouest, utilisez des formes et des volumes qui correspondent à l'Élément Terre ou Feu, c'est-à-dire :

○ une bougie rouge ;

○ une lampe à huile ;

○ une lampe à pétrole de forme conique ;

○ des bougeoirs en forme d'étoile ou de triangle ;

○ deux roses rouges, car le 2 est associé au Feu ;

○ un vase rouge de forme pyramidale ;

○ une jardinière rectangulaire contenant des fleurs rouges ou jaunes ;

○ un cendrier jaune et carré ;

○ une tapisserie aux lignes horizontales et de couleur jaune.

Couleurs chaudes

Les teintes chaudes soutiennent la gaieté, et la gaieté attire l'amour. C'est donc en vous entourant de rouge et de jaune que vous réveillerez les énergies de l'affection.

Privilégiez les rouges et les jaunes, tout en vous rappelant qu'un excès de rouge engendre le mauvais côté de la passion.

Sons suaves

Assurément, la musique est la clef de voûte de la réussite amoureuse. Dans une rencontre, elle reste toujours très importante. Choisissez-la plutôt dans la catégorie *new age* ; les musiques douces et les chansons d'amour font également très bien l'affaire.

Évitez les sons destructeurs d'harmonie : ceux qui couvrent le propre son de votre voix, ceux qui deviennent très vite un brouhaha de fond – la télévision ou la radio que vous n'écoutez pas –, ceux qui vous tapent sur les nerfs – le robinet qui goutte.

Odeurs appétissantes

Le parfum des fleurs fraîchement coupées, celui des huiles essentielles et de l'encens ouvrent l'âme et génèrent un excellent *ch'i*. Toutefois, évitez les fragrances trop fortes et insistantes. N'oubliez pas que les relents et autres mauvaises odeurs attirent le *sha* ; votre bien-aimé sera de bien meilleure humeur et beaucoup plus câlin en pénétrant non pas dans une maison qui sent la friture ou le renfermé mais dans une demeure délicatement parfumée. À conseiller : les odeurs de toast ou de pâtisserie qui évoquent le bonheur de la vie familiale et qui lui donneront envie de vous dévorer.

Été comme hiver, renouvelez l'air de chaque pièce. À chaque fois que vous ouvrez vos fenêtres pendant trois minutes, vous renouvelez l'énergie de votre intérieur. Pollué par vos tracas quotidiens, par ceux de vos proches et par les rancœurs restées « dans l'air » après une querelle, l'air ambiant stagne au point de vous charger l'esprit, alors qu'il a tant besoin d'être soulagé et apaisé.

Aérer votre intérieur est un tout petit geste journalier qui peut faire évoluer votre relation amoureuse d'une façon très positive. Alors pensez-y.

À éviter absolument

Si vous devez porter une grande attention à ce qu'il faut faire pour préserver votre relation amoureuse, soyez très vigilante à tout ce qu'il ne faut pas faire. Non seulement le Feng Shui vous recommande ceci ou cela pour atteindre votre but, mais il vous signale aussi les pièges à éviter ainsi que tous les dangers.

○ Fumer dans une chambre nuit aux énergies, donc à l'énergie du couple et à sa bonne entente.

○ Gare au téléviseur introduit dans votre espace amoureux. Installé à demeure, le téléviseur offre la tentation de regarder le film du soir, confortablement et bien au chaud, enlacée dans les bras de son bien-aimé. Attention ! car la télévision tue l'amour : paresseusement allongée, vous allez très vite vous endormir ! Et, même éteint, l'écran envoie des ondes perturbatrices. Même chose pour l'ordinateur, qui n'a pas sa place ici.

o Ne dormez pas sur deux matelas posés sur un même sommier, car leurs bords respectifs vous isolent et forment une ligne séparatrice, une frontière qui, à la longue, risque de provoquer une désunion.

o De même pour la poutre au plafond qui, symboliquement, sépare votre couple.

o Ne placez aucun miroir en face de votre lit : son énergie yang perturberait la qualité de votre entente et de votre repos.

o Pour votre tapisserie, vos rideaux et votre literie, évitez la couleur bleue, trop froide, et préférez-lui des tons chauds, plus doux.

o N'accrochez aucune photographie de vous en solo : vous attiseriez à tort les énergies du célibat.

o Et dès que vous avez trouvé l'âme sœur, ne conservez aucune représentation de pivoines. Car ces dernières continueraient de vous faire bénéficier de leurs effets. Sauf si vous souhaitez une nouvelle rencontre amoureuse ?

Déployez vos charmes...

Dans l'entrée

Dans les affaires de cœur et dans la philosophie Feng Shui, l'entrée d'une maison ou d'un appartement est très importante : c'est là que le – futur ? – homme de votre vie entrera pour la première fois, c'est là qu'il aura la toute première impression de votre intérieur. Vous savez bien que l'atmosphère d'un lieu reflète l'âme de son occupant. Alors ne négligez rien.

Même s'il est très amoureux, un homme conservera une vague sensation : que c'était désagréable d'entrer chez vous ! À l'opposé, s'il est accueilli par une lumière douce qui éclaire un joli bouquet de fleurs posé sur un élégant guéridon, s'il marche sur un tapis moelleux et pénètre dans un vestibule dégagé, il pensera à coup sûr qu'il est le bienvenu et n'aura qu'une envie : revenir au plus vite !

Si vous vivez en couple, l'entrée reste un lieu stratégique : pour rentrer chez soi, personne n'a vraiment envie de faire un pas de plus s'il faut enjamber des cartables, lutter contre une poussette ou manquer de se faire assommer par une planche à repasser.

Deux petits conseils de portemanteau et de miroir

○ Laissez de la place sur le portemanteau, débarrassez-le de tous les vieux imperméables et autres écharpes que vous y avez entassés et un peu oubliés : l'homme de votre vie doit avoir plusieurs crochets libres pour y suspendre ses affaires. En un mot, faites-lui de la place. S'il doit mettre son pardessus sur le dossier d'une chaise, il aura l'impression d'être moins bien reçu et quelque peu expédié.

○ Ne placez pas de miroir en face de la porte d'entrée, car il renvoie à l'extérieur l'image de la personne qui veut entrer, comme s'il la repoussait. Comment désirer rester chez vous et y être bien si on se sent mis dehors ?

Dans la cuisine

○ Pas de téléviseur. Ici, vous préparez de bons petits plats pour l'élu de votre cœur ou pour votre compagnon, vous ne regardez pas la météo. Et si vous mangez dans la cuisine, le repas est le moment privilégié du tête-à-tête ou de la réunion familiale.

o Ayez toujours au moins deux sièges semblables près de votre table. Car un seul siège engendre des énergies de célibat. Si vous manquez de place, optez pour deux tabourets.

Dans la salle de bains

o Si votre salle de bains est attenante à votre chambre, fermez toujours la porte, car les énergies d'« évacuation » qui règnent dans la salle de bains ou les toilettes n'ont pas à perturber les vibrations d'amour et de bien-être qui dominent dans votre lieu de repos.

o Si vous allez déménager, ne choisissez pas un appartement où la chambre est dotée d'un coin « bain » ou « toilettes ». Chaque énergie à sa place.

Dans le salon

Avec votre chambre, le salon est le lieu par excellence du délassement entre vous et votre bien-aimé. Si vous vivez en couple, créez un coin d'intimité, le plus souvent votre canapé, qui doit être libre de tout objet gênant : l'énorme pile de linge à repasser, tous les livres qui restent à potasser, les jouets de vos enfants qui traînent... Il est important de laisser un espace accueillant pour vous détendre côte à côte.

Bien sûr, et même si vous êtes seule, n'oubliez pas d'activer ce secteur sud-ouest par les couleurs, les formes, les fleurs et les objets correspondants.

Petit conseil : l'intimité et la sérénité, voilà ce que doit respirer votre salon. Si vous avez conçu cette pièce pour y recevoir tous vos amis, gardez quand même un espace plus feutré où vous viendrez lire, rêver, soupirer... Une atmosphère d'intimité attire l'intimité, une ambiance entre copines n'attire que des copines : c'est une évidence à rappeler.

Des meubles bien à vous ....

Si votre budget vous le permet, préférez des meubles achetés par vous-même à ceux qu'une grand-mère ou qu'une tante vous a légués. Pourquoi ? En les acceptant, vous conservez l'empreinte de leur vie, qui s'est concentrée dans la commode ou le buffet, avec tous ses bonheurs mais aussi ses malheurs. Avez-vous vraiment besoin d'en avoir une mémoire vibrante ? Attention ! car elle peut se coller à votre propre existence. Soyez vierge de tout passé qui ne vous appartient pas.

Dans la chambre

La chambre est bien entendu le lieu privilégié pour stimuler les énergies amoureuses. Se constituer un « sanctuaire » pour s'aimer, aménager cet espace pour la béatitude, c'est déjà s'évader du tintamarre ordinaire, c'est déjà fuir le vacarme du dehors en compagnie de son cher et tendre. En s'isolant du monde, les amants apprennent à devenir solidaires, engagés et confiants.

Avis aux très paresseuses : souvenez-vous que la chambre n'est pas réservée exclusivement au sommeil. Elle est aussi le lieu de l'intime, des échanges amoureux – surtout si vous vivez en famille. Préservez-la donc au maximum des mauvaises énergies et soignez tous les détails : un lit confortable, un matelas ferme, un espace d'amour spacieux, des draps fins et souples, des lumières tamisées et indirectes. N'oubliez pas d'y placer quelques symboles de l'amour.

Petits conseils : de l'air !

○ L'air de la chambre doit être frais, mais pas trop, au point de frissonner ! Vous devez vous y sentir bien.

○ Aérez tous les jours et soyez soucieuse de la propreté. Car l'air purifié permet aux bonnes énergies de circuler ; des recoins régulièrement dépoussiérés ne laissent pas le *sha* stagner.

○ Parfumez la pièce ; si l'encens vous dérange, faites chauffer des essences sur des ronds d'ampoule ou vaporisez des senteurs aux vertus aphrodisiaques. L'ylang-ylang et le gardénia, aux arômes doux et mystérieux, sont des fragrances idéales. Avec sa petite flamme dansante qui produit des vibrations émoustillantes, la bougie parfumée est tout aussi conseillée ; sa lueur vacillante renforce l'atmosphère de mystère et d'amour, et possède un effet euphorisant.

○ Ouvrez les volets avant de plonger dans le sommeil : votre réveil sera dopé d'une lumière yang, et votre vitalité sexuelle aussi.

Dans le jardin ou sur le balcon

Comme vous l'avez fait pour votre intérieur (voir chap. 2), divisez le plan de votre jardin ou de votre balcon en neuf parties et superposez la grille du *pa kua*.

○ Dans le coin sud-ouest, plantez les fleurs favorables à la vie sentimentale ; installez par exemple la statue d'un Amour jouant avec sa flèche ou de deux amants enlacés, ou suspendez un carillon éolien.

○ Prenez grand soin du secteur « amour » de votre jardin ; veillez à ce qu'aucune « flèche empoisonnée » ne le touche.

○ Débarrassez le lieu de tout dépotoir de ferrailles, de vieilleries et de pots cassés ; ôtez les mauvaises herbes et les fleurs fanées.

○ Toujours sud-ouest s'il y a un rocher, peignez en rouge deux petits cœurs enlacés.

○ Et si vous n'aimez vraiment pas jardiner, contentez-vous d'un petit espace, d'une cour, d'un balcon, d'une terrasse. Surtout, rangez un peu, ne laissez pas apparents un mur délabré, du fouillis et tout ce qui fait désordre : car le terrible *sha* – souvenez-vous – aurait tôt fait de s'y nicher.

Dans le bureau

En général, dans un bureau, on travaille ! Ce n'est donc pas le lieu pour placer des objets et autres symboles qui évoquent l'amour – excepté dans le secteur sud-ouest de votre table (voir le dessin p. 41).

Dans un studio

Vous vivez dans un studio et vous vous dites qu'y appliquer les règles Feng Shui n'est pas possible ? Détrompez-vous, tout est réalisable, même si c'est un peu plus difficile, car un petit logement recèle déjà une énergie de célibat.

○ Avant toute chose, activez le secteur sud-ouest de votre pièce.

○ Séparez par un rideau de perles ou un paravent votre coin « sommeil » du coin « repas ».

○ Achetez au moins deux chaises identiques, deux tabourets ou deux fauteuils, ainsi que deux lampes de chevet.

○ Évitez le cosy-corner et le lit à une place. Si vous avez vraiment très peu d'espace, choisissez un canapé-lit.

○ Respectez les proportions de votre studio : ne l'étouffez pas avec des tentures ou des meubles trop lourds. L'homme qui entrera dans votre vie doit pouvoir y trouver sa place.

Comment vous y prendre...

Pour qu'il reste fidèle

Vous avez vraiment tout fait : vous avez activé le secteur sud-ouest de votre habitation, vous avez soigneusement appliqué l'ensemble des conseils de l'art Feng Shui, et vous allez vivre dans l'harmonie, c'est sûr ! Hélas ! c'est sans compter sur votre partenaire : car s'il est toujours en déplacement ou s'il s'investit à fond dans sa réussite professionnelle, vous risquez bien de manquer d'amour et d'être tentée par l'infidélité. À moins que ça ne soit l'inverse. Dans tous les cas, prenez quelques précautions.

Il est nécessaire d'adoucir deux secteurs : le secteur nord, associé à la vie professionnelle, et le secteur nord-ouest, associé aux voyages. Pour le premier, qui correspond à l'Élément Eau, c'est en utilisant les objets, les symboles et les couleurs en corrélation avec l'Élément Métal que vous parviendrez à réduire l'investissement ou la suractivité dans lesquels l'un de vous deux s'oublie. Quant au second, lié à l'Élément Métal, il peut se modérer avec les objets, les symboles et les couleurs en corrélation avec l'Élément Terre.

Petits conseils de base

Voici quelques recommandations qui vous éviteront de commettre un certain nombre d'impairs. On les a déjà vues, mais on répète : on ne sait jamais !

o N'achetez plus de pivoines, car elles attirent un nouvel amour.

o Pas de télévision dans la chambre : absorbée par le programme, vous risquez fort d'oublier de faire un câlin et de vous endormir pour de bon.

o Pas d'ordinateur dans la chambre : inutile d'attirer les énergies du travail.

○ Si vous avez plusieurs statuettes de canard ou d'oie, gardez-en deux seulement. Ce sont des symboles de fidélité quand ils sont en couple, pas en bande.

○ N'exposez pas de photographie qui montre une personne au milieu de votre couple, car elle viendrait vous séparer.

○ Et soignez le décor de votre entrée : votre compagnon doit avoir envie de rentrer chez lui, pas de découcher. C'est tout de même l'une des règles de base.

Pour réveiller votre couple

Dans un monde de plus en plus pressé et stressé, le quotidien éloigne bien souvent les petits câlins. C'est dommage et c'est grave. Préoccupés par leur travail, leur maison, leurs enfants, leurs impôts à payer et le programme de la télévision, nombreux sont les couples qui perdent leur harmonie et leur complicité. Heureusement, le Feng Shui est là, qui vous donne les moyens de réussir votre vie amoureuse et conjugale – mais si !

De nouveau, voici quelques recommandations de base qui vous feront retrouver de la ferveur :

Petits conseils simples et de bon goût

○ Rangez, faites le ménage : une maison en désordre procure un sentiment de confusion et un logement confiné bloque les énergies. Un couple se sent alors emprisonné dans une histoire confuse et irrespirable.

○ N'installez pas dans votre chambre, haut lieu de détente et d'intimité, le linge à repasser, les vêtements à recoudre et les torchons à trier. Faites de la place.

o Au bleu, couleur froide qui gêne le rapprochement des amants, préférez des tons chauds qui raniment les élans.

o Tamisez l'éclairage : utilisez par exemple une ampoule à faible voltage sous un abat-jour orange.

o Et pourquoi pas un lit à baldaquin ou surmonté d'un dais ? C'est romantique, ça enveloppe et ça sécurise le couple, ça le couronne. Mettez des draps doux, amples et de préférence unis. Utilisez un matelas, pas deux.

o Placez un objet en forme de cœur – par exemple un vide-poches – sur chaque table de nuit.

o Et méfiez-vous des miroirs : parce qu'ils multiplient votre image et vos fantasmes, ils risquent de ne pas toujours encourager la fidélité.

Pour le bonheur de votre enfant

Nous ne sommes plus au temps où l'on arrangeait le mariage de ses enfants, mais un petit coup de pouce ne peut pas leur faire de mal. Voici comment... Si l'un de vos enfants est à la recherche de l'âme sœur, n'hésitez pas à préparer sa chambre comme s'il allait vivre en couple : plus de lit à une place, plus de lit collé au mur, plus de cosy-corner, plus de table de nuit esseulée. Prévoyez la place de son futur partenaire : car si une chambre ou un logement reflète exclusivement une vie de célibataire, qui aura envie de venir s'y s'installer ?

Si votre enfant est resté sur une déception amoureuse, purifiez les lieux de la relation passée : demandez-lui d'enfermer à la cave ou au grenier tous les souvenirs, lettres, photographies et autres cadeaux.

Une fille à marier . . . .

Selon une coutume chinoise issue du Feng Shui, pour provoquer les noces de leur fille, les parents dressent un bouquet de pivoines sous le toit familial.

Ça, c'est oui

○ Découpez la superficie de sa table de travail, de sa commode ou de sa chambre selon la grille du *pa kua*. Stimulez le secteur sud-ouest avec des symboles amoureux : en particulier des pivoines – toujours elles ! – ; une bougie ou une lumière tamisée ; des objets triangulaires, hauts et pointus – par exemple une lampe conique – ; des objets en forme d'étoile ou la représentation d'étoiles sur un coussin ou un tapis.

○ Inutile de vouloir cumuler ; quelques objets suffiront amplement pour attirer l'amour.

○ Dès que votre fille ou votre fils a rencontré quelqu'un, remplacez les formes triangulaires et pointues par des formes rectangulaires, larges et plates, ou par des objets ayant comme motifs des rayures horizontales ou des damiers.

Ça, c'est non

○ Évitez de placer dans sa chambre des photographies, des peintures ou tous objets d'art représentant uniquement des personnes de son sexe. Car son complément, sa future moitié, ne trouvera pas sa place dans une énergie trop yin ou trop yang, étouffante et différente de la sienne. Vous savez bien que le yin et le yang doivent toujours rester en équilibre.

○ Ne traitez pas cette affaire à la légère. Apprenez à votre enfant que l'amour est chose fragile et réclame une vigilance de tous les instants, mille petites attentions et des gestes quotidiens. Et rappelez-lui que le Feng Shui est toujours là pour lui venir en aide !

Vingt-cinq façons d'atteindre le septième ciel

1. Soyez sincère

Si, au fond de vous-même, vous souhaitez rester célibataire et si, pour des raisons que vous seule connaissez, vous ne voulez pas vous engager, le meilleur Feng Shui ne vous fera pas changer d'avis.

2. Alors, toujours seule ?

Faites tout pour baigner dans un environnement yin : cela vous permettra de baisser votre garde, de réduire à néant vos résistances et enfin de lâcher prise. C'est à cette seule condition que vous pourrez rencontrer quelqu'un.

3. Ne privilégiez pas les énergies féminines

Dans votre intérieur, ne placez pas trop de statuettes, de tableaux ou de photographies liés au féminin. En construisant un bon équilibre entre le masculin et le féminin, vous aurez plus de chances de rencontrer l'amour.

4. Faites entrer les pivoines dans votre maison

Pour rencontrer l'âme sœur, placez des pivoines dans votre salon, tant pour décorer que pour stimuler toutes les chances de bonheur. Une fois l'opération réussie, retirez-les afin de ne pas courir le risque de voir votre compagnon partir conter fleurette ailleurs.

5. Achetez un beau morceau de quartz

S'il est placé dans le secteur sud-ouest de votre foyer, il attirera l'idylle dans votre vie.

6. Et n'oubliez pas le cristal

Si vous activez le secteur sud-ouest de votre chambre avec un ou plusieurs cristaux, vous jouirez d'une relation harmonieuse.

7. Installez une lumière vive au-dessus du cristal

Si vous souhaitez que votre partenaire s'engage, donnez ainsi de la force au cristal. Allumez-le au moins trois heures tous les soirs.

8. Suspendez un lustre à cristaux pendants

Toujours placé dans le secteur sud-ouest de votre maison, il apportera de la chance à vos rapports amoureux.

9. Débarrassez vos cristaux des énergies négatives

Régulièrement, faites-les tremper pendant sept jours et sept nuits dans un bain d'eau de mer.

10. Fermez toujours vos toilettes !

Si vos toilettes sont, hélas ! situées dans le secteur sud-ouest de votre demeure, gardez leur porte toujours fermée et placez un miroir sur son côté extérieur. Suspendez également un carillon éolien à cinq baguettes, en bois noir ou marron.

11. Pensez aux canards mandarins

Parce qu'un couple de canards mandarins symbolise l'amour et la fidélité, il améliorera votre vie amoureuse. À placer dans votre chambre ou dans le secteur sud-ouest de votre logis.

12. Soyez inséparables, même en photo

Une peinture ou une photographie d'un couple d'inséparables – vous savez, les oiseaux – produit le même effet que le conseil précédent.

13. Aimez les paires

Possédez les objets par paire ou en deux exemplaires : deux boules yin et yang, deux poissons, deux dragons, deux lampes de chevet, la sculpture d'un couple...

14. Faites de la peinture

Dans votre jardin ou sur votre balcon, placez un rocher ou, plus modestement, une pierre : dessus, peignez en rouge deux petits cœurs enlacés. De plus, vous activerez les énergies du secteur sud-ouest en entourant la pierre d'un morceau de laine ou d'un ruban rouge.

15. Aux fleurs, préférez les fruits

Ne placez jamais de fleurs dans votre chambre. En revanche, des fruits y seront du meilleur effet.

16. Ne vous couchez jamais dans des draps bleus

Parce que le bleu est une couleur froide, les draps risqueraient de glacer votre relation. Choisissez plutôt du blanc qui favorise la sincérité des sentiments.

17. Placez du rouge près de votre lit

Au début d'une relation amoureuse, pensez à disposer près du lit des éléments rouges : par exemple, des cœurs ou des lumières. Ils créeront de la passion et porteront bonheur à votre union. Et quand votre relation sera bien installée, baissez l'intensité de cette couleur trop yang et préférez-lui du rose.

18. Évitez l'eau

Dans votre chambre, dans ce lieu réservé au sommeil et à l'intimité, évitez tout ce qui peut évoquer l'eau – mais une carafe pleine et des verres sont autorisés, rassurez-vous ! En effet, cela générerait de l'insomnie et de l'incompréhension.

19. Ne dormez pas en face d'une porte

Pour un ménage « vivant », dormir face à une porte est considérée comme une position « mortelle ».

20. S'il est situé entre deux portes, déplacez votre lit

Ne laissez pas votre couple « en plein vent » ou dans les courants d'air, il deviendrait instable ! Si vous ne pouvez faire autrement, masquez l'une des portes à l'aide d'un paravent.

21. Voyez les choses en grand

Si votre lit ne peut être placé ailleurs que sous une poutre, choisissez un baldaquin.

22. Méfiez-vous des miroirs

Dans une chambre, les miroirs sont source de problèmes. Pendant la nuit, des rideaux de lit peuvent les masquer.

23. Placez votre salon au cœur de votre demeure

Accessible à tous, une pièce familiale crée de l'harmonie et de la bienveillance dans un couple et entre les membres de la famille.

24. Disposez de joyeux portraits de famille

Vous favoriserez ainsi l'unité. Chaque membre de la famille doit y figurer... et tout le monde doit y paraître heureux. À suspendre dans votre salon.

25. Et restez souriante !

Voilà bien l'une des règles majeures du Feng Shui.

chapitre 4

Comment, sans trop d'efforts,
vous épanouir dans votre travail

Un bel intérieur, ça s'organise

Tout le monde n'a peut-être pas eu la possibilité de choisir son activité professionnelle, c'est vrai. Mais attention : si votre travail vous déplaît vraiment, si vos collègues n'ont aucun respect pour votre personnalité et vos mérites, si vous travaillez jour et nuit, week-ends compris, sans plus voir ni votre compagnon ni vos enfants, alors gare à la déprime qui risque de vous foudroyer un de ces jours. Il est grand temps de réagir : le Feng Shui est là pour vous y aider. Et comment donc ?

Dans un premier temps, le Feng Shui va vous permettre de vous détendre quand vous regagnez vos pénates ; à la maison, vous déchargez vos tensions et vous puisez de nouvelles forces pour affronter de nouveau l'extérieur. Par l'aménagement de votre maison, vous allez retrouver l'apaisement indispensable qui vous fera supporter votre mal-être professionnel.

Puis, peu à peu, le Feng Shui vous procurera l'énergie utile pour changer votre vie professionnelle et trouver un autre emploi. En activant les bons secteurs, vous saurez comment faire des démarches, où trouver des appuis, comment dénicher les opportunités, utiliser au mieux vos capacités pour entamer une nouvelle activité, développer votre mémoire et votre concentration... Dans ce cas, il vous faudra non seulement activer le secteur nord, qui correspond au travail (où règne l'Élément Eau), mais aussi le secteur est, celui de la santé et de la famille (où règne le Bois), le secteur nord-est, celui de l'éducation et du savoir (où règne la Terre), enfin le secteur nord-ouest, celui des aides et des voyages (où règne le Métal). Ça vous semble beaucoup de travail ? Non, ce n'est pas si terrible que ça, vous allez voir.

Fleurs blanches

L'orchidée

L'orchidée est associée à l'Élément Eau. Elle convient tout à fait pour stimuler le domaine professionnel – à condition, bien sûr, d'en placer une ou plusieurs dans le secteur nord.

La rose

Si elle est encore en boutons, la rose recèle l'énergie du Métal. Choisissez des roses blanches pour soutenir votre activité.

La tulipe

Parce qu'elle ressemble à un calice, la tulipe a toutes les vertus pour entrer en correspondance avec l'Élément Eau. La couleur blanche favorise l'énergie du Métal.

Le dahlia

Grâce à sa forme presque ronde, le dahlia pompon stimule le *ch'i* de l'Élément Métal. À mettre dans un vase bleu de forme ronde.

Le lierre

Quand ses tiges retombent, le lierre est une plante associée à l'Élément Eau. À placer dans le bureau ou le salon.

La « plante de l'argent »

Le *Crassula*, ou « plante de l'argent », a des affinités avec l'Élément Métal. Il apporte la stabilité et la prospérité.

Objets de terre, de bois et de métal

Un vase de terre

Surtout quand il est rond, un vase de terre correspond à l'Énergie Eau.

Un cache-pot

Haut et en bois, un cache-pot est lié au *ch'i* du Bois, qui vous aidera à développer votre carrière ; posez-le au sud-est, le domaine de la richesse.

Un pot en métal

Quand il est rond et quand il est en métal, un pot correspond à la fois à l'Élément Métal et à l'Élément Eau.

Une tortue

Une tortue a le pouvoir de gouverner votre carrière.

Un dragon

Symbole majeur de la philosophie Feng Shui, le dragon est de force yang. Il fait naître la créativité et la puissance, il chasse les démons et apporte la chance. Sa place est donc toute trouvée : dans votre bureau ou votre salon.

Un Bouddha rieur

Une statuette d'un Bouddha rieur aide à combattre les difficultés. À installer dans le secteur nord de votre maison, de votre bureau ou de votre salon.

Formes rondes

Pour activer le secteur nord du travail, disposez des formes et des volumes qui correspondent à l'Élément Eau ou Bois, c'est-à-dire :

○ un plat en cristal ;

○ une mini-fontaine de forme ronde ;

○ une vasque de verre ;

○ des galets noirs ;

○ un cep de vigne noirci ;

○ une draperie noire et satinée ;

○ une bille de métal ;

○ un récipient rond en métal argenté ;

○ une assiette blanche ou argentée ;

○ un plateau rond en argent ;

○ un miroir circulaire bordé de métal ;

○ une boule de sapin de Noël blanche ou argentée ;

○ un dessous de plat circulaire, blanc ou argenté.

Couleurs argentées

Le bleu et le gris-bleu, le blanc et le noir, le gris et l'argenté, c'est-à-dire des teintes froides, réveillent les énergies associées à votre activité professionnelle. Idéales pour le secteur nord de votre maison ou de votre bureau.

Petit conseil : n'en abusez pas. Quand elles sont en excès, ces teintes gèlent une atmosphère et refroidissent un lieu.

Sons aquatiques

Tandis que l'ouïe est reliée à l'Élément Eau, aucune musique n'est vraiment associée à l'Élément Métal, excepté le son des percussions, des cloches et des gongs. Choisissez de préférence une ambiance aquatique pour activer le secteur nord ; d'ailleurs, elle favorisera la réflexion, idéale pour méditer sur votre vie professionnelle et sur les buts que vous vous êtes fixés.

Petit conseil : dans la maison ou le jardin, le tintement d'un carillon éolien stimule les énergies du travail. Pourquoi pas ?

Tous les parfums

L'odorat est associé à l'Élément Métal. Dès lors, chaque senteur devient importante quand il s'agit d'activer le secteur nord. Les odeurs putrides et âcres sont bien associées à l'Eau et au Métal ; mais qui parmi vous souhaiterait en faire son parfum d'intérieur ? L'encens vous offre ses vertus, en particulier le benjoin, qui développe l'intellect et favorise les études.

Petit conseil : pensez à l'encens de Nazareth, en vente dans les boutiques de produits ésotériques et religieux ; il apporte des satisfactions sur le plan commercial et ouvre des perspectives professionnelles.

À éviter vraiment

o Surtout au travail : choisir son bureau tout au bout du couloir. Car vous seriez considérée comme perdue au fond d'une forêt !

o Disposer sa table de travail dans l'alignement de la porte. Car cette ligne droite dote la personne qui entre d'une énergie trop directive, trop yang, pour tendre à un rapport agréable.

○ S'asseoir sous une poutre ou en face d'un pilier. Souvenez-vous qu'une ligne droite est une « flèche empoisonnée ».

○ Laisser les angles saillants devenir une menace.

○ S'asseoir en tournant le dos à une fenêtre. C'est aussi mauvais que de faire face à la porte d'entrée. Transformez votre environnement de fond en comble si vous vous apercevez que vous avez commis ces deux erreurs fatales.

○ Baigner dans un ensoleillement excessif. Car cela provoque un agacement imperceptible, des tensions, voire des querelles avec vos collègues. Respectez toujours l'équilibre entre l'ombre et la lumière.

○ Faire déborder sa corbeille à papiers. Car cela sape les bonnes influences qui règnent dans votre bureau.

○ Laisser le fouillis envahir votre espace de travail. Alors tout ne sera que troubles, incohérence et perturbation. Ce n'est pas ce que vous recherchez, non ?

Déployez vos compétences...

Dans l'entrée

Pour réussir votre vie professionnelle, l'une des premières recommandations pourrait être : « Du tonus ! » Car sinon comment vous investir dans votre tâche ? Et parce que c'est votre intérieur qui vous restituera les énergies nécessaires pour affronter les agressions extérieures et trouver la vitalité pour vous épanouir, votre entrée doit être impeccable : accueillante, généreuse, réconfortante. Vous n'avez aucune installation particulière à faire, juste à entretenir le bon *ch'i* en suivant les conseils habituels du Feng Shui. Pas mal pour une paresseuse, non ?

Dans la cuisine

Vous êtes épuisée ? Vous n'avez pas la force de cuisiner ? C'est pour ça que vous mangez sur le pouce, debout, sur un coin de table ? Mauvais point : ce n'est pas ainsi que vous parviendrez à vous investir sur le plan professionnel. Bien s'alimenter est un facteur d'énergie et de bonne santé ; et si vous manquez d'idées pour concocter de bons petits plats dans un environnement Feng Shui, faites un détour par le chapitre 6 ; puis revenez quand même lire ce qui suit :

○ Transformez votre cuisine en un espace clair et aéré, où tout a été conçu pour éveiller vos sens et en particulier vos papilles gustatives. Car le but reste avant tout d'éprouver du plaisir à préparer vos repas puis à les déguster ; créez un environnement yang là où vous cuisinez et une ambiance yin ou yang là où vous les consommez : yang si vous y prenez tous vos repas, yin si vous y dînez seulement.

○ Pour bien commencer la journée, soignez le petit-déjeuner : dressez une table yang, composée de sets de table, de bols et de couverts aux couleurs dynamiques et aux matériaux sobres. Apportez une touche de gaieté avec une simple fleur ou un bouquet placés au centre de la table. Avant de vous installer, veillez à ce que tous les aliments soient sortis, car les allées et venues génèrent un stress qui risque d'empoisonner le reste de la journée. Ne gâchez pas votre humeur avec le son, les images ou les ondes d'une radio ou d'une télévision.

Dans la salle de bains

En ce lieu, vous vous lavez des moiteurs de la nuit et vous vous débarrassez de vos cauchemars. Pour qu'il soit agréable d'y pénétrer, votre salle de bains doit être tiède, sèche et claire.

o Libérez la baignoire ou la douche de tout encombrement de linge qui trempe ou qui sèche.

o Avant d'attaquer une dure journée, faites du petit matin un moment privilégié, personnel et intime. Que personne, sous aucun prétexte, ne vienne vous déranger. Ni mari, ni enfants ! Procédez tranquillement à vos ablutions, qui sont toujours purificatrices ; prenez soin de votre corps ; offrez-vous un temps d'amour et d'attention, un temps rien qu'à vous.

o Quand vous avez fini votre toilette, faites le nécessaire pour redonner de l'énergie au *ch'i* : étendez soigneusement votre serviette, par exemple sur un radiateur porte-serviettes – il est toujours très déplaisant de trouver du linge humide jeté en boule, et ça sent très vite mauvais –, vérifiez que tous les tubes et les flacons sont bien rebouchés, passez un petit coup d'éponge dans le lavabo et la baignoire, enfin refermez la porte. Bravo ! Le *ch'i* peut de nouveau circuler.

Dans le salon

Espace de détente par excellence, le salon doit respirer la sérénité. Si vos enfants n'ont pas d'autre endroit pour jouer, concevez un autre coin d'intimité, où vous pourrez vous isoler à loisir.

Petit conseil de base : pour réveiller le *ch'i* de votre vie professionnelle, activez le secteur nord de cette pièce en y apportant des objets, des symboles et des couleurs associés aux Éléments Eau et Métal.

Dans la chambre

C'est une évidence : la chambre est faite pour le sommeil et l'intimité, pas pour le travail. Elle n'est pas le lieu pour activer quoi que ce soit. Pourtant – vous le savez bien – c'est de la qualité de votre repos que dépendra la force de votre investissement professionnel. Votre temps de sommeil est donc à privilégier. C'est pourquoi, en plus des conseils généraux de Feng Shui, vous devez respecter quelques nouvelles règles :

○ vérifiez toujours l'heure de votre réveil avant de vous mettre au lit ;

○ fermez vos volets ;

○ veillez à ce qu'il ne fasse pas trop chaud dans votre chambre ;

○ et passez une bonne nuit !

Dans le jardin ou sur le balcon

Un coin de verdure, des plantes, une petite terrasse, le chant des oiseaux... tout cela évoque plus la détente que l'activité professionnelle, c'est sûr. Mais un tel espace peut vous apporter beaucoup : de la sérénité, de la vigueur, de l'audace, un second souffle avant de reprendre le travail. Comment ? En comblant vos sens. Le secteur nord est stimulé par les Éléments Métal et Eau, qui correspondent à l'odorat et à l'ouïe : alors réveillez-les !

Ça sent bon

Hum ! Sentez-vous déjà le thym et les herbes aromatiques ? Ou préférez-vous la séduction du jasmin, dont les effluves électrisent la nuit ? Ou bien les senteurs de la glycine, des pois de senteur, de l'œillet, du lilas, de la lavande et du chèvrefeuille, qui embaument la journée ? Une seule réserve : que les variétés aux fragrances entêtantes soient éloignées de la fenêtre de votre chambre.

Poésies sonores

N'est-il pas toujours merveilleux d'entendre l'eau s'écouler d'une petite fontaine, les plantes bruisser, les oiseaux gazouiller dans leur nichoir et un carillon chinois résonner à la tombée du jour ? Allez, soyez donc un peu lyrique et spirituelle à vos heures ! Car ne l'oubliez pas : pour être au mieux de votre forme au bureau, vous devez être pleinement épanouie dans tous les autres domaines. Pour ne pas contrecarrer les énergies de l'ensemble des secteurs de votre vie, mettez votre jardin ou votre balcon au rythme Feng Shui. Ça lui fera le plus grand bien.

Dans le bureau

Pour installer au mieux votre bureau, inspirez-vous des conseils prodigués plus loin et qui concernent le cadre strictement professionnel (voir p. 132).

Dans un studio

Vous n'avez pas plus de 25 m² à consacrer à l'organisation Feng Shui ? Rassurez-vous, cela suffira. Il vous faut simplement un peu plus de discipline : ici on mange, là on travaille, là-bas on dort. De nouveau, attention au désordre matériel et à la confusion de vie, qui ne vous veulent que du mal.

Petit conseil de base : pour créer l'harmonie et réussir dans votre activité, stimulez le secteur nord avec des formes, des symboles et des couleurs liés aux Éléments Métal et Eau. Vous le saviez déjà.

Comment vous y prendre...

Pour déployer vos talents cachés

Vous avez une foule de talents cachés – allez, au moins un... – et vous n'osez pas vous lancer. C'est dommage. Sachez que vivre en harmonie permet d'atteindre le bonheur, de se libérer de l'anxiété et de trouver l'audace de créer. Car ce n'est pas si facile.

Quand on est bien dans sa peau et dans son apparence, quand on est heureux chez soi, à l'aise dans son environnement, bien entouré par ses proches et parfaitement intégré dans son cadre professionnel, comment ne pas avoir confiance en soi ? Bien sûr, on ne naît pas ainsi, ça s'apprend : c'est là que le Feng Shui intervient.

Dégagez votre créativité

Dès que vous aurez appliqué les recommandations générales de l'art Feng Shui, activez le secteur ouest, celui qui correspond à la créativité, avec des objets, des symboles et des couleurs liés à l'Élément Métal ou Terre, par exemple :

○ un pot de stylos si vous écrivez ;

○ un pot de pinceaux si vous peignez ;

○ un morceau d'argile si vous sculptez ;

○ une bille en métal ;

○ un plat argenté ;

○ un miroir rond et bordé de métal ;

○ un gobelet argenté ;

○ un cendrier jaune, plat et carré ;

○ une jardinière en terre garnie de fleurs jaunes.

Et devenez célèbre !

Maintenant, activez le secteur sud de votre habitation, qui correspond à la reconnaissance, à l'opulence, à la célébrité et au succès. Tout peut devenir possible si vous stimulez à la fois les énergies du travail et de la renommée : dans le secteur nord, placez des objets en métal, du fer forgé, des formes rondes et des teintes blanches et argentées ; dans le secteur sud, disposez des plantes hautes, des objets et du mobilier en bois, des formes élancées et des tons verts.

Pour vous lancer enfin

Vous voulez ouvrir un commerce ? Vous êtes en profession libérale ? Vous voulez monter un spectacle ? Alors devenez incollable en Feng Shui : il vous permettra de créer puis de développer votre activité, il amplifiera votre carrière, vous offrira toutes sortes d'opportunités, vous aidera à trouver des financements, et on en passe ! Tout est concerné : les possibilités de voyages ; l'acquisition de connaissances ou de responsabilités ; l'expansion de votre entreprise, ses chances de réussite, jusqu'à l'harmonie entre vos collaborateurs ou vos subordonnés.

Que vous soyez artiste, comédienne, écrivain, chanteuse, journaliste, animatrice, mannequin, sportive ou politicienne, que vous soyez une sacrée paresseuse qui cherche la célébrité et la gloire, ce conseil est pour vous : activez fortement la partie sud de votre demeure et éclairez-la amplement.

Petit conseil : le symbolisme animalier peut vous aider car il permet de stimuler une énergie dans un domaine déterminé. Ainsi, en plaçant la statuette d'un cheval dans le secteur de la renommée, vous avez toutes les chances de l'atteindre. Un diplôme, un vase en forme de coupe ou un simple bouquet de fleurs sont tout aussi indiqués.

Pour passer maître en communication

Communiquer n'est jamais chose facile. Pour savoir vous présenter – et donc vous vendre –, il vous faut user de concision et d'esprit de synthèse tout en produisant une impression positive sur la personne que vous voulez toucher et convaincre. Après avoir activé le secteur nord-ouest de la grille du *pa kua* – le secteur de la renommée – avec des objets, des symboles et des couleurs correspondant aux Éléments Métal et Terre, il vous reste à suivre les précieux petits conseils suivants :

Fignolez votre logo

Votre sigle est de première importance : reflet de votre personnalité et de la nature de votre activité, il apparaît partout, sur une devanture, un emballage, un sac, un papier à en-tête, une carte de visite... Son message doit être bref et direct : on doit vous reconnaître au premier coup d'œil.

Choisissez une forme sobre, stylisée avec élégance, très lisible et immédiatement compréhensible par tous, Français comme étrangers, adultes comme enfants.

Votre papier à en-tête, c'est du sérieux

Votre papier à en-tête, c'est un peu comme votre silhouette : plus ou moins consciemment, on jugera tout de suite de sa présentation. Il signe votre savoir-vivre et votre savoir-être ; en plus de celle de votre société, il décline votre identité. Voici quelques principes dictés par le Feng Shui.

○ Respectez les règles usuelles de la correspondance et choisissez le format de papier habituel.

○ La feuille doit être claire et blanche, à la rigueur légèrement teintée ; de couleur, elle irritera le lecteur.

○ Prenez une bonne qualité de papier et un grammage appréciable : on n'écrit pas une lettre importante sur du papier à cigarettes.

○ La première page d'un courrier comporte votre sigle et/ou votre entête ; les pages suivantes sont simples et ne portent que les mentions obligatoires.

○ Veillez à ce qu'aucune flèche, ligne droite ou autre, ne vienne couper ou menacer le nom, voire l'adresse de votre société. Votre logo ne doit empiéter ni sur votre nom, ni sur la mention de votre fonction.

○ Portez la même attention à vos cartes de visite, aux enveloppes et au conditionnement de vos produits.

Soignez l'emballage

Si vous avez ouvert un commerce, rappelez-vous toujours que vos clients sortent de chez vous avec un paquet contenant les articles que vous vendez. Non seulement l'emballage communique l'image de votre commerce – aussi bien par sa qualité, son originalité ou la présence de votre logo – mais il s'affiche en pleine rue, en pleine ville, porté à bout de bras par quelqu'un qui fait ses courses. N'est-ce pas la plus belle des publicités ?

Pour vous faire une clientèle

L'important est d'attirer puis de fidéliser une clientèle souvent exigeante. Petit mode d'emploi décliné en huit points :

1. Choisissez une bonne adresse

L'emplacement de votre magasin, de votre bureau ou de votre atelier est tout aussi important que celui de votre habitation ; c'est là que vous allez faire vivre votre activité, c'est de ça que dépendra le succès de votre entreprise. Alors choisissez bien.

Parfois, l'adresse légale et le lieu d'exploitation sont différents : quand une société n'a pas les moyens de s'installer dans un lieu réputé mais qu'elle cherche à soigner son image de marque, elle fait appel à un service spécialisé, un bureau de domiciliations commerciales et industrielles qui, lui, s'est établi dans les beaux quartiers.

Ce petit conseil est-il utile ? L'emplacement de votre activité, et en particulier d'un magasin, doit être accessible à tous : oubliez les jolies ruelles escarpées, même si le coin est charmant ou le point de vue sublime.

2. Pensez aux coordonnées

Si, dans votre activité, vous utilisez beaucoup le téléphone, un numéro facile à retenir est bien sûr le gage d'un succès à venir.

Le numéro même de la rue possède sa propre signification. (Et pourquoi ne pas retourner au chap. 2, pour réviser la symbolique des nombres ?) De même pour son nom : si vous habitez rue des Jeûneurs, vous risquez fort de ne pas gagner assez d'argent pour vous nourrir ! De même pour le nom de la ville : associé à un massacre qui reste encore gravé dans toutes les mémoires, une localité telle que Saint-Barthélemy par exemple est à éviter – vous l'aurez compris sans peine.

3. Surveillez les voisins

Intéressez-vous de près aux commerces qui sont dans le quartier et qui entourent le vôtre. En effet, tous les métiers sont associés à l'un des cinq

Éléments ; selon la manière dont ils réagissent les uns par rapport aux autres, ils se soutiennent ou au contraire se nuisent. D'autre part, connaître la correspondance existant entre les métiers, les Éléments, les couleurs ou l'orientation vous est très utile pour concevoir tout ce qui touche à votre magasin : son enseigne, sa devanture, son entrée, son espace, son décor, et – pourquoi pas ? – son logo et son papier à en-tête.

o Au Feu correspondent les restaurants (parce qu'on y cuit les aliments), les métiers du feu et de la lumière. Ils peuvent privilégier le rouge et le sud. Ils péricliteront s'ils sont placés à côté d'un métier associé à l'Eau, car l'eau éteint le feu.

o À l'Eau correspondent les débits de boissons, les métiers du froid, les entreprises ayant trait à l'argent telles que les banques, les assurances et les bureaux de change, les transports maritimes et les agences de voyages. Ils peuvent utiliser le bleu ou le noir. Complémentaires, les objets liés au Métal sont ici les bienvenus – placez-les donc au nord. En revanche, attention à la proximité d'une entreprise de type Terre, car la terre empêche l'eau de s'écouler.

o Au Bois correspondent les entreprises du bois et de ses dérivés, la charpente, la menuiserie et la scierie, ainsi que celles touchant au papier, à l'horticulture et au jardin. Le vert est leur couleur, l'est est leur orientation préférée. Recherchez le voisinage d'un métier lié à l'Eau : il vous enrichira, car l'eau fait pousser le bois. Mais fuyez le voisinage d'un magasin associé au Feu, car le feu a besoin de bois pour brûler : vous risquez dès lors de rester sur la paille.

o À la Terre correspondent l'immobilier, l'architecture, le bâtiment et la marbrerie. Ces secteurs d'activité peuvent privilégier le jaune ainsi que le centre. Gare aux métiers qui correspondent au Bois, car le bois appauvrit la terre.

o Au Métal correspondent les métiers travaillant le métal, l'ingénierie et l'automobile. Ils peuvent employer le blanc et favoriser l'ouest. Voyez d'un très mauvais œil l'installation à vos côtés d'une boutique associée au Feu, car le feu fait fondre le métal.

Si votre voisinage est d'une influence néfaste, tout n'est pas perdu pour autant, car vous pouvez lutter ! Comment ? En transformant votre décor. Par exemple : vous êtes feu et votre voisin est eau ; vous savez que l'eau éteint le feu ; vous craignez donc à juste titre pour votre prospérité ; renforcez sans cesse votre élément avec les objets, les symboles, les formes et les couleurs qui lui correspondent. Là, vous êtes en terrain connu, non ?

4. Peaufinez l'enseigne

Votre enseigne est un condensé de votre profession, de votre secteur d'activité, de votre image et de vos aspirations. Une simple enseigne peut attirer ou au contraire repousser la clientèle. Tout est dans le nom, dans la façon dont il est écrit et dans le ressenti que nous en avons, dans le choix des caractères, du style et des couleurs, dans les proportions entre enseigne et devanture... Peaufinez votre enseigne, car elle possède une sacrée résonance.

En ce domaine comme en tant d'autres, référez-vous au bon sens et aux règles d'or du Feng Shui :

o Une enseigne ne doit pas être à demi cachée. Elle doit être visible et lisible de loin. Même en plein jour, les lettres doivent être détachées de la façade, comme si elles étaient lumineuses.

o Éclairée par des néons colorés, une enseigne attire un *ch'i* vivifiant.

o Attention aux « flèches empoisonnées ». Ne laissez pas votre enseigne être menacée par l'angle d'un store voisin ou par toute arête la visant. Si c'est le cas, placez un miroir discret à l'endroit critique afin d'envoyer promener le *shar ch'i* ! Gare aux ombres portées.

5. Question de façade

Faite de sobriété et d'élégance, une vitrine Feng Shui, ça se mérite.

○ Toutes les affiches que vous placez – promotions, articles soldés... – ne doivent pas masquer les produits exposés. Celui ou celle qui fait du lèche-vitrines doit véritablement être alléché(e). Ne transformez pas son potentiel « bon acheteur » en potentiel « simple lecteur ».

○ En vitrine, placez peu d'informations. Car si elles sont trop nombreuses, et trop bien faites, un éventuel client ne franchira pas le seuil pour obtenir les renseignements souhaités. Pensez par exemple aux produits hi-fi ou informatiques : une fiche technique disposée près de l'appareil renseignera suffisamment le badaud un peu intéressé – mais qui n'entrera pas. Perdu ! Au contraire, si la vitrine n'a pas assouvi sa curiosité, il poussera la porte, s'approchera de l'objet convoité, le touchera et, si vous êtes là, prête à répondre à toutes ses questions, il repartira avec son achat sous le bras. Gagné !

○ Ôtez toutes les affiches qui ne concernent pas votre commerce – publicités de spectacles, petites annonces...

○ Apportez un grand soin à l'agencement de votre vitrine en tenant compte de la symbolique des formes et des couleurs.

○ Choisissez des vitres antireflet ou prévoyez un store.

○ Faites laver très régulièrement les vitres, qui doivent toujours être très claires et très propres.

6. L'entrée : tout passe par là

Votre entrée, qu'est-ce qu'elle est importante ! De sa bonne conception dépend le taux de fréquentation de votre commerce.

○ Ses dimensions sont à proportionner avec celles de l'édifice dans lequel vous êtes installée.

o Faites attention à ce qu'aucune « flèche empoisonnée » ne vienne la menacer.

o La porte principale doit être assez grande et bien décorée. Si elle est élevée par rapport au niveau de la rue, vous ferez davantage fructifier vos affaires.

o Si un petit bassin ou un point d'eau est installé devant votre entrée, vous bénéficierez d'un meilleur *ch'i*.

o Répartis de part et d'autre de la porte, des arbustes ou des plantes d'extérieur apportent une touche très chic à votre établissement. Même chose pour un auvent.

o Un éclairage vif situé autour de l'entrée charme les clients, dynamisés par l'effet stimulant ainsi créé.

o Une porte tournante attire les bons courants vibratoires ainsi que de nombreuses personnes, séduites par son mouvement tourbillonnant.

o Selon la qualité des produits, un tapis rouge menant à l'intérieur du magasin attire les clients.

o Aucune glace placée en face de la porte ne doit les refouler. Une fois dans les lieux, ils doivent plonger avec enthousiasme dans la profusion de ce que vous leur proposez.

o Ménagez une ou plusieurs larges allées afin que l'on puisse circuler librement.

7. Pour le décor

Faites simple et de bon goût. Reportez-vous à la symbolique des objets, des symboles, des formes et des couleurs liés à votre activité professionnelle (voir plus haut).

8. Équilibrez la musique d'ambiance

Si votre entreprise et si les produits vendus sont de tendance yang, répandez une mélodie plutôt yin. Si vous êtes dans une énergie yin, diffusez une musique de tendance yang, plus dynamique. L'harmonie et le bon *ch'i* s'aiment et se multiplient dans l'équilibre – vous le savez bien.

Pour obtenir des aides

Sur la grille du *pa kua* figure un emplacement destiné à favoriser l'aide que vous pouvez attendre soit dans le cadre d'une activité débutante, soit d'une façon permanente. Si vous stimulez le secteur nord-ouest de votre bureau ou de votre maison à l'aide d'objets, de symboles, de formes et de couleurs liés aux Éléments Métal et Terre, vous accéderez à votre désir :

o être remarquée par des personnes importantes, des personnalités ou des mentors ;

o obtenir facilement l'aval de votre banquier ;

o avoir bonne presse ;

o vous créer une aura qui fera pâlir de rage et de jalousie tous vos concurrents ;

o développer votre activité professionnelle comme jamais ;

o avoir ce petit plus qui vous donnera une crédibilité à toute épreuve ;

o donner envie aux investisseurs de vous rencontrer ;

o donner très envie aux autres de vous ouvrir des portes, de vous épauler et vous guider.

La reconnaissance, c'est vital

Vous exercez une profession qui exige la reconnaissance. Pour vous, la réputation et la caution publique, c'est essentiel. Vous savez ce qu'il vous reste à faire : activer le secteur sud, qui correspond à la renommée, avec une collection de statuettes de chevaux et quelques fleurs rouges. Plus vous serez reconnue, plus vous serez soutenue.

Une mutation, ça change

Vous avez besoin d'aide pour obtenir une mutation. Plusieurs secteurs sont alors à activer : le secteur nord bien sûr, qui concerne votre travail, mais également le secteur nord-ouest, lié aux voyages, aux changements, aux déplacements, à la communication et aux influences relationnelles. Placez-y des bleuets ainsi que la photographie du lieu où vous souhaitez être mutée. Et vous verrez votre demande prendre plus vite bonne tournure.

Pour toucher les mécènes

Mécènes, sponsors, protecteurs, parrains, commanditaires... Voilà bien des gens qu'il faut à tout prix attirer, passionner et retenir. Et la recherche d'un soutien relève le plus souvent d'un parcours harassant de combattante – c'est tout aussi vital que de mettre son banquier dans sa poche.

À votre avis, quels secteurs devez-vous activer ? Oui, le nord, celui de l'activité professionnelle – c'était facile, mais bon. Oui, le secteur nord-ouest, celui des aides – bravo, vous suivez ! Oui, le secteur sud-est, celui de la richesse – vous êtes vraiment incollable. Oui, le sud, celui de la renommée – dites-donc, vous devenez une véritable adepte du Feng Shui ! Quatre fois oui, car un sponsor, c'est quelqu'un qui compte sur votre réputation pour placer sa bannière et se faire remarquer, c'est quelqu'un qui vous soutient financièrement à des fins purement publicitaires. Alors, si vous êtes totalement inconnue au bataillon, pas de risque d'emporter son adhésion.

Carillons, plantes et bougies

Quand ils sont suspendus dans le secteur nord-ouest, les carillons éoliens attirent les personnes secourables et influentes. Leurs tiges doivent être creuses – ce qui permet au *ch'i* de mieux s'y engouffrer. Des fleurs fraîches sont également les bienvenues.

Un aquarium, une fontaine ou une plante grasse iront très bien pour le sud-est.

Pour le sud ? Pensez à des diplômes, à des objets rouges triangulaires, à une lampe rouge à abat-jour conique ou plus simplement à une petite bougie rouge.

Petit rappel : au cours d'une réunion, professionnelle, amicale ou familiale, évitez de placer vos interlocuteurs autour d'une table carrée, encore moins sous une poutre et surtout pas en regard d'une « flèche empoisonnée ». Mettez toutes les chances de votre côté pour que la rencontre se passe bien.

Pour être plus efficace

Il est bon de connaître quelques règles de base pour augmenter son rendement comme celui de ses éventuels collaborateurs.

Faites des priorités

Les bureaux destinés aux personnes qui y passent la plus grande partie de leur journée doivent être installés dans les endroits les plus éclairés et les plus aérés.

Quant aux salles secondaires, c'est-à-dire les salles de réunion, l'espace de repos ou la salle d'attente, elles ne réclament pas des conditions aussi bonnes mais ne doivent pas être délaissées pour autant.

Naturelle, pas artificielle

Un espace sans lumière est un espace sans vie. Travailler dans un sous-sol, même s'il présente un décor ultramoderne ou des plus élégants, impose une lumière artificielle en permanence. Un local sous terre perd une grande partie de son énergie et reste difficile à stimuler. Et s'il y a des néons, leur éclairage morne produit des radiations désagréables, engendrant de la migraine, une perte de concentration et de la morosité. Alors, si cela est possible, fuyez les sous-sols !

À chacun son espace

Faire travailler plusieurs personnes au sein d'un même bureau est loin d'être optimal pour favoriser leur concentration et préserver leur individualité. Même s'il est convivial d'œuvrer en commun, l'entente parfaite est difficile à atteindre – nous en avons tous fait l'expérience. Et tandis que certains aiment être entourés, d'autres ont besoin de solitude pour s'épanouir.

Dans tous les cas, le *ch'i* circule mieux si les personnes sont séparées par un rideau de plantes, un paravent ou tout élément qui fait cloison et qui assure un périmètre protecteur, réel ou imaginaire. Tout le monde est gagnant : le travail est mieux fait, la rentabilité accrue.

Superposée au plan de la pièce, la grille du *pa kua* montre que certains sont placés dans le secteur « santé » et « famille », d'autres dans celui des aides et des voyages, d'autres encore dans celui de la créativité. L'idéal serait que chaque tâche confiée à une personne corresponde à son secteur ; dans cette concordance absolue, vous pouvez être assurée d'une harmonie suprême et d'un respect profond. Ça, c'est l'idéal.

Pour vous protéger du stress

Le bureau est le lieu des négociations parfois difficiles, de la communication à établir, des débats interminables et des problèmes à résoudre. Vous y passez la majeure partie de votre journée – hélas ! rarement dans la sérénité et la détente. Entre collègues, l'émulation, voire la rivalité sont incessantes – ce qui provoque des tensions et beaucoup de stress. Il va falloir apprendre à vous en protéger. Et peut-être avez-vous du mal à vous imposer ; c'est pourquoi, chaque matin, vous partez au bureau le ventre noué. C'est très mauvais pour la santé, pour les performances intellectuelles et les relations professionnelles.

Le mieux serait bien sûr d'y être comme chez vous afin d'affronter ce qui tend à vous décourager : des heures et des heures de labeur ! Si vous voulez vous épanouir, si vous voulez vous sentir à l'aise, soutenue et respectée dans votre travail, il va falloir y mettre un peu du vôtre. Un tout petit peu. Une fois encore, le Feng Shui peut vous aider. Voici quelques astuces :

Faites comme chez vous

o Installez votre table de travail plutôt au fond de la pièce et légèrement en diagonale.

o De votre place assise, vous devez voir la porte d'entrée, vous devez savoir immédiatement qui pénètre dans votre espace, mais ne placez jamais votre bureau en face de cette porte. Ainsi, quand une personne stressée ouvrira la porte avec vivacité, vous ne serez pas en prise directe avec sa tension ou son anxiété.

o Faites en sorte d'être le dos à une bibliothèque qui, tel un capitonnage, vous protégera des griefs et des accès de colère d'un de vos collègues. Si vous tournez le dos à une ouverture, une fenêtre ou une baie vitrée par exemple, vous serez en insécurité car vous aurez un vide derrière vous. Sans en être consciente, vous le ressentirez.

○ Votre siège doit être confortable. Tenez-vous le dos bien droit.

○ Sur votre table, disposez tous les accessoires selon les secteurs de la grille du *pa kua* (voir chap. 2).

○ Décorez l'espace avec sobriété. Aucune rigidité ne doit y régner.

○ Au mur, accrochez des images significatives de votre secteur d'activité ainsi que des symboles de réussite. Choisissez des représentations de gagnants et non de vaincus – même s'ils sont aussi célèbres que Napoléon I er ! Car elles dégagent des impressions négatives qui risqueraient de vous nuire.

○ Si vous ne les consultez plus dans la journée, rangez vos dossiers. Même chose pour les objets.

○ Videz régulièrement votre corbeille à papier. Ce que l'on jette est périmé, incorrect ou raté : tout ce qui est négatif doit être évacué.

Une dominante parme

Afin de vous donner du tonus, l'énergie de votre bureau doit être yang, avec quelques éléments yin qui permettent la détente.

Couleur de la réflexion, de la tempérance et de la méditation, le violet est bon pour la concentration. Une dominante parme est idéale pour le travail d'une salariée, d'une dirigeante d'entreprise ou d'une étudiante ; elle est peut-être moins efficace pour un écrivain qui sèche devant sa page blanche.

Plantes vertes contre grosses machines

Fait de télématique, d'informatique et autres technologies modernes, le monde professionnel du XXI e siècle requiert des ordinateurs, des écrans, des modems, des télécopieurs, des imprimantes, des transformateurs, des câbles, des prises de courant... Constamment sous tension, les machines chauffent l'atmosphère : il est donc important de bien aérer la pièce.

Cette surchauffe, ces tensions et le ronronnement permanent de tous les appareils épuisent et provoquent de la somnolence. Pour lutter contre ces désagréments, disposez des plantes vertes : elles absorbent les mauvaises vibrations et vous stimulent. Devant votre ordinateur, réglez votre angle de vision et utilisez un écran protecteur.

Débarras bien ordonnés

Si vous travaillez dans un atelier, dans une pièce consacrée à des activités manuelles – confection, art, artisanat... –, faites tout pour qu'il corresponde aux normes du Feng Shui, c'est-à-dire :

○ un lieu aéré et lumineux ;

○ un sol lisse et propre ;

○ des plans de travail dégagés de tout objet inutile ;

○ un espace net et bien rangé, débarrassé des vieilleries dont vous ne voulez pas vous séparer mais qui ne vous serviront jamais, et qui sont soit à jeter, soit à placer dans un débarras qui, à son tour, doit être en ordre et trié une fois par an au moins.

Ouf ! Quel travail ! Mais vous le savez bien maintenant : un ordre parfait vous fait gagner du temps et favorise la circulation du *ch'i.*

Pour mieux vivre votre rentrée

Redémarrer le travail en pleine forme après quelques semaines de congés n'est pas toujours facile. Vous avez encore du soleil plein les yeux, vous avez du mal à oublier les matinées paresseuses et, à mesure que votre hâle disparaît pour laisser place à votre pâleur habituelle, vous glissez doucement mais sûrement dans la morosité, coincée entre les dossiers qui se sont dangereusement accumulés pendant votre absence, les problèmes entre vos chers collègues et les affaires courantes. Heureusement, tout ça peut changer. Voici le coup de pouce Feng Shui qui va métamorphoser votre rentrée. D'abord chez vous, puis au bureau.

Adieu au triste, au fatigué, au défraîchi

La rentrée, c'est le moment de faire un grand remue-ménage dans votre armoire et de passer en revue l'ensemble de votre garde-robe. Au bureau, la manière dont vous êtes habillée est très importante – vous le savez bien.

Pourquoi garder ce petit pull bouloché qui encombre vos tiroirs ? et ce manteau triste, fatigué et démodé ? Faites le tri, débarrassez-vous de ces énergies archaïques et stagnantes qui vous enchaînent à votre passé et vous empêchent d'avancer. D'une manière inconsciente, un pyjama informe et un gilet feutré vous renvoient à des émotions oubliées ; rien qu'à les regarder, vous vous sentez gagnée par une certaine neurasthénie. Car pour être frais et gai, votre regard doit s'imprégner uniquement de beauté. Et puis réfléchissez : enfiler un vêtement défraîchi ternit votre teint et vous colle la fatigue à la peau. Alors ouste !

Même chose pour vos accessoires : apportez chez le cordonnier vos chaussures, vos sacoches, vos cartables et vos sacs à main qui nécessitent des réparations ; imperméabilisez et cirez vos cuirs ; jetez tout ce qui est usagé. En arrivant le matin au bureau, vous devez être belle et fraîche de pied en cape. Mais si, c'est à votre portée !

Bonne nuit

Pour avoir fière allure au petit matin, sachez prendre soin de votre coucher, de votre sommeil et de votre réveil. Prenez quelques petites habitudes reconstituantes.

○ Ne vous écroulez pas devant la télévision. Ne regardez pas les informations de fin de soirée ; souvent tragiques et déprimantes, elles nous renvoient à notre impuissance à changer le monde. Si vous souhaitez voir un reportage sur la guerre ou un sujet difficile, enregistrez-le : vous le visionnerez dans la journée, pendant le week-end.

○ Avant de vous coucher, vérifiez que tout est bien en ordre : au petit matin, alors qu'on sort à peine du sommeil, il n'y a rien de plus décourageant que de se trouver nez à nez avec la vaisselle de la veille.

○ Programmez votre réveil, fermez vos volets, surveillez la température de la chambre.

○ Voilez les miroirs car ils réfléchissent une énergie yang, c'est-à-dire stimulante et contraire à un sommeil réparateur.

Petite toilette et grande beauté

Prenez le temps de vous faire une beauté : c'est une attention personnelle qui, en améliorant votre humeur, rejaillira sur celle des autres. De grâce, n'expédiez pas ce rituel quotidien, essentiel au ton de votre journée. Donnez bonne mine à votre teint, corrigez les imperfections de vos traits et parfumez-vous légèrement ; un parfum capiteux ou en excès risque fort d'incommoder vos collègues.

Puis choisissez vos vêtements en fonction de votre humeur du moment ; mettez par exemple du rouge si vous avez besoin d'être stimulée, du bleu ou du noir si vous êtes trop énervée.

Souriez, on vous regarde

On ne vous demande pas d'arriver le matin au bureau en chantant à tue-tête, mais ne faites pas grise mine pour autant. C'est la rentrée, alors prenez soin de saluer tous ceux que vous croisez avec un sourire et une petite attention personnalisée : « Les vacances se sont bien passées ? » Répandez la bonne humeur : vous teinterez d'optimisme tous vos rapports professionnels.

Vous voici dans votre bureau, dans votre atelier ou tout autre espace de travail. Pendant votre absence, l'environnement a pu changer. Faites rapidement le tour du propriétaire :

○ réaménagez votre place ou profitez-en pour en changer si elle n'était pas assez confortable ou ensoleillée ;

○ nettoyez et réorganisez votre table de travail ; agrémentez-la d'objets personnels ;

○ retrouvez vos marques : dans l'espace, face à vos collègues, face à vous-même. Bon travail et bonne rentrée !

Vingt-cinq façons de travailler dans la joie et la bonne humeur

1. Chaque matin, portez une couleur qui équilibre votre état d'âme

Si vous mettez du rouge alors que vous êtes en colère, nul besoin d'être prophète pour prédire que vous finirez mal la journée.

2. Saluez tous vos collègues

Afin de générer une communication positive, ayez toujours un mot gentil pour les personnes avec qui vous travaillez. Allez, faites un effort.

3. Soyez souriante, même au téléphone

Un sourire, ça s'entend très bien à l'autre bout du fil.

4. Protégez-vous d'un mauvais Feng Shui

L'angle saillant de votre table de travail, le désordre qui s'y amoncelle, la corbeille à papiers qui déborde, les étagères « ouvertes » d'une armoire de classement, trop de luminosité : voilà autant de choses néfastes.

5. Ne tournez pas le dos à une porte

De même, ne placez pas votre bureau en face d'une porte.

6. Détectez le pointu, l'aigu et le lourd

Car, dans la pièce où vous travaillez, tout cela est menaçant. Si vous y parvenez, cela vous permettra d'échapper aux énergies envoyées.

7. Évitez les poutres et les piliers

Se placer sous une poutre ou en face d'un pilier, c'est comme se placer dans la ligne de tir d'une « flèche empoisonnée ».

8. Corrigez les méfaits des angles saillants

À l'aide d'un ruban adhésif rouge, attachez un bambou creux au pilier, à la poutre ou à toute forme agressive. Le mieux est encore de changer de place.

9. Détournez les mauvaises vibrations...

... qui sont provoquées par quoi, à votre avis ? Par les angles. Et comment lutter ? En s'armant de plantes et de miroirs.

10. Inspectez régulièrement votre espace de travail

Faites-en une habitude. Un collègue, ou vous-même sans vous en rendre compte, a peut-être désorganisé les énergies en déplaçant ou en ajoutant un objet.

11. Ne vous asseyez pas à l'angle d'une table

Évitez cette place si vous participez à une réunion, par exemple. Cette énergie hostile vous désavantagerait par rapport à vos collègues.

12. Choisissez votre place

Essayez d'arriver avant vos collègues afin de choisir votre place : jamais face ou dos à la porte, jamais contre une vitre, jamais directement en face de votre patron.

13. Choisissez également votre siège

Il doit être pourvu d'accoudoirs ou du moins d'un dossier haut.

14. Aménagez votre espace de travail

Suivez la grille du *pa kua* : disposez des fleurs dans le secteur est, une plante et une calculatrice dans le secteur sud-est, un cristal au sud-ouest, une lampe au sud et le téléphone au nord-ouest.

15. Empilez soigneusement vos dossiers

Placez-les plutôt à votre droite qu'à votre gauche.

16. Adoptez une petite tortue d'eau

Si vous placez cet animal dans le secteur nord de votre bureau, il influencera favorablement votre carrière.

17. Admirez les bateaux à voiles

Qu'il s'agisse de tableaux ou de photographies, toutes les représentations de plans d'eau avec bateaux à voiles sont d'excellents symboles de prospérité.

18. Préférez des oiseaux prêts à s'envoler à des oiseaux perchés

L'emblème du phénix ou de tout autre oiseau rouge, en peinture, en sculpture ou en photographie, incarne la force dans l'adversité.

19. Comptez jusqu'à 8

Parce que le nombre 8 est bon pour la prospérité, accrochez-le, dessinez-le, peignez-le ou suspendez-le autant qu'il vous plaira.

20. Respectez une règle de base

Si vous travaillez régulièrement sur ordinateur, installez une plante grasse à ses côtés : elle absorbera les mauvaises vibrations qui vous étaient destinées.

21. Rangez les affaires de nettoyage

Du balai au chiffon, de la pelle à l'aspirateur, cachez tout au tréfond d'un placard.

22. Dans la matinée, faites une pause-café

Ce moment de détente et de retrouvailles entretient la convivialité – même avec des collègues pas toujours très coopératifs.

23. Ne déjeunez pas toujours au même endroit

Changez-vous les idées, aérez-vous les papilles en découvrant des saveurs différentes et des lieux nouveaux.

24. Tous les soirs, jetez un œil à vos plantes vertes

Ont-elles besoin d'être arrosées ? nettoyées ? Bien soignées, les plantes vous stimuleront pendant toute la semaine.

25. Et rangez votre bureau avant de partir

Le lendemain matin, il vous en sera reconnaissant et vous accueillera avec tonus et plaisir.

chapitre 5

Comment ne plus avoir de fins de mois
trop difficiles

Un bel intérieur, ça se gagne

L'argent, ce n'est jamais facile à gagner, à moins d'être née avec la bosse du commerce ou une sacrée chance au-dessus de votre tête. Et, pour certains, il reste le nerf de la guerre. Même si vous n'en êtes pas là, vous aimeriez bien, comme tout le monde, ne plus craindre les fins de mois difficiles, avoir des revenus un peu plus importants et vous payer du superflu de temps en temps. Tout ça sans trop vous fatiguer, cela va sans dire ! Alors, une fois de plus, pourquoi ne pas recourir au Feng Shui ? En effet, il a pensé à quelques astuces qui réveilleront les énergies nécessaires pour augmenter votre pécule.

Rappelez-vous que la richesse est située dans le secteur sud-est de votre maison : les plantes, les objets, les formes, les couleurs, les sons et les odeurs sont donc à placer en relation avec ce secteur. L'Élément Bois y règne.

Plantes dorées, fleurs plantureuses

Le mimosa

Plante généreuse, le mimosa offre une cascade de petites boules dorées qui ne sont pas sans évoquer une chute de pièces d'or. À placer dans votre maison, dans votre salon.

La lunaire

La lunaire, ou monnaie du pape, est une variété de fleurs séchées dont les « fruits » s'apparentent à des disques argentés ; elle est proche d'un arbre à pièces. Vous la trouverez souvent sur les marchés. Disposez en bouquet ses grandes tiges dans le secteur sud-est de votre logis. Vous pouvez également en orner votre bureau, votre salon ou votre salle à manger.

L'orchidée

Associée à l'Élément Eau, l'orchidée est la bienvenue chez vous, dans une pièce ou sur votre table de travail.

La jacinthe

Parce qu'elle pousse très droit, la jacinthe est liée à l'Élément Bois.

Le limettier et l'oranger

Le limettier et l'oranger donnent des fruits couleur or. Ils seront parfaits dans votre salon.

La « plante de l'argent »

Le *Crassula*, que les Chinois appellent « plante de l'argent » du fait de ses feuilles rondes et charnues, symboles de prospérité, est vivement recommandée. Choisissez-le plutôt nain et gardez-le à l'intérieur. Sa place toute trouvée est le salon ou le bureau. Prenez-en grand soin : s'il périt, vos revenus iront en périclitant ! Si son feuillage tend à se rabougrir et à tomber, n'hésitez pas à remplacer la plante. À défaut de *Crassula*, prenez un *Pellæa rotundifolia*, aux feuilles rondes et coriaces, aux tiges courtes et rampantes.

Le yucca

Par ses feuilles pointues et son tronc vigoureux, le yucca évoque l'Élément Bois. Il sera du meilleur effet dans le secteur sud-est de votre salon.

Objets d'abondance

Un dieu de la Richesse

Vous pouvez dénicher une statuette du dieu de la Richesse dans les boutiques chinoises spécialisées.

Un Bouddha rieur

Une représentation d'un Bouddha rieur apporte du bonheur et de l'insouciance à l'égard des affaires financières.

Une grenouille

La grenouille fait entrer l'argent dans le foyer ; certaines sculptures la montrent tenant une pièce de monnaie. Sa présence est bénéfique dans une entrée ou un séjour seulement – encore faut-il qu'elle tourne le dos à la porte, pour simuler son arrivée. Débarrassez-vous de toutes les autres grenouilles, qui font office de dérouleur de ficelle, de minuteur, de porte-ciseaux, d'avaleuse d'éponge ou autre brosse à vaisselle, car elles produiraient l'effet inverse.

Un ruban rouge

Un ruban rouge active les bonnes vibrations des objets qu'il attache ou relie. Si vous souhaitez être mieux payée, utilisez-le pour enrouler le tronc d'un *Crassula* ; si vous attendez un appel important de votre conseiller financier, attachez-le autour du combiné téléphonique ; si vous manquez de sérénité en matière d'argent, faites un nœud autour du cou d'un Bouddha rieur.

Un cristal

Relié à l'Élément Eau, un cristal fait fructifier les vibrations Bois du secteur de la richesse.

Une fontaine

Associée à l'Élément Eau, une fontaine stimule l'énergie Bois qui correspond au secteur sud-est de votre maison, de votre bureau ou de votre salon.

Une coupelle

En corrélation avec l'Élément Eau, une coupelle bleue qui contient des pièces de monnaie attire l'argent. Placez-la dans votre salon, dans votre bureau ou sur votre table de travail.

Des pièces de monnaie

De même qu'on sème des graines pour récolter du blé, de même il est avisé de lancer de la menue monnaie et de la laisser par terre (sous les meubles).

Des pièces chinoises (ou des euros)

Vous pouvez vous procurer ces pièces rondes, trouées en leur centre et liées par trois à un cordon de satin rouge dans les boutiques chinoises. Avec trois pièces vous tendrez à augmenter vos revenus, avec huit pièces vous donnerez de la stabilité à votre situation financière. Si vous avez du mal à en trouver, rassurez-vous : enfermés dans une petite bourse de tissu rouge, des euros feront le même effet. Gardez-les dans votre sac à main ou suspendez-les dans votre maison.

Formes hautes

Pour activer le secteur sud-est, disposez des formes et des volumes qui correspondent à l'Élément Eau ou Bois, c'est-à-dire :

- une eau limpide dans une assiette verte ;
- une mini-fontaine de forme ronde ;
- une vasque en verre ;
- un plat en cristal ;
- des galets noirs ;
- une draperie noire et satinée ;
- un cep de vigne noirci ;
- une plante bien droite ;
- un vase vert, haut et rectangulaire ;
- une colonne verte ;
- du papier peint vert et rayé ;
- des rayures vertes ;
- un abat-jour vert et rectangulaire.

Couleurs froides

Parce que ce sont des teintes plutôt froides, le vert et le bleu réveillent les énergies associées au domaine financier. Elles sont ici idéales.

Toutefois, n'en abusez pas : si elles sont en excès, ces couleurs gèlent l'atmosphère et refroidissent les lieux.

Sons d'eau

Le bruissement de l'eau génère le *ch'i* favorable au secteur de l'argent. Faites donc l'acquisition d'une fontaine de table. Sinon, intensifiez les vibrations financières de votre demeure en passant une cassette ou un disque de sons de la nature, par exemple la musique de l'océan ou d'une cascade : c'est ravissant, c'est reposant et c'est dépaysant, et ça amplifiera les vibrations de ce fameux secteur sud-est. Alors, pourquoi ne pas joindre l'utile à l'agréable ?

Senteurs de benjoin

Selon la tradition du Feng Shui, aucune senteur particulière n'attire l'argent. Cependant, les fumigations de benjoin accroissent la prospérité et attirent la clientèle. Disponible dans les boutiques de produits ésotériques et religieux, l'encens de Nazareth apporte des satisfactions commerciales, un nouveau travail ainsi que de bons rapports avec votre conseiller financier.

À éviter à tout prix

○ Oublier de respecter les règles du Feng Shui concernant la richesse, la renommée et le travail. Car ces trois domaines se fondent, s'entraident et se soutiennent.

○ Laisser mourir la « plante de l'argent ». Car avec elle disparaissent vos possibilités de revenus supplémentaires.

○ Porter des vêtements froissés, fatigués ou délavés. Car ils affaiblissent votre tonus et attirent des énergies de pauvreté.

○ Tourner vers la sortie la petite grenouille, ce symbole de chance que vous avez placé sous un meuble de votre entrée. Car elle aurait tendance à s'enfuir, emportant avec elle la prospérité tant espérée.

○ Installer un escalier en colimaçon. Car, à la manière d'un tire-bouchon, sa spirale va aspirer les bonnes énergies que vous avez accumulées.

○ Garder et utiliser une vaisselle ébréchée. Car elle entraîne également des vibrations de privation.

○ Garder des gadgets tels que la grenouille-éponge qui amuse tant votre bébé dans son bain. Car elle annule les effets de vos efforts financiers.

○ Laisser ouvert l'abattant de la cuvette des toilettes, laisser ouverte la porte de votre salle de bains. Car le *ch'i* s'engouffre dans les bouches d'évacuation et les voies d'accès, et votre argent avec lui.

○ Faire entrer un bonsaï dans votre maison ou votre bureau. Même si vous les adorez, sachez que les bonsaïs sont néfastes : à cause d'eux, vous pouvez voir vos ressources financières baisser dangereusement, vous pouvez végéter dans votre situation professionnelle. Alors attention !

Déployez votre rendement...

Dans l'entrée

○ Accrochez un miroir rond en face de l'escalier qui donne directement sur la porte d'entrée : cela retient le *ch'i* qui, sinon, le dévalerait pour mieux s'échapper.

○ Accrochez à la poignée de la porte trois pièces chinoises retenues entre elles par un cordon de satin rouge : cela va accélérer vos rentrées d'argent.

Dans la cuisine

Avant tout réservée au domaine de la famille, la cuisine a donc peu à voir avec celui de la richesse. Pour faire prospérer vos finances, peu de chose à respecter en ce lieu.

Toutefois, conservez une extrême vigilance à l'égard des règles générales du Feng Shui, car un simple manquement risquerait d'entraîner un déséquilibre dans d'autres domaines de votre vie.

Dans la salle de bains

La salle de bains et les toilettes sont des lieux que vous devez véritablement couver, et cela pour tous les domaines de votre vie. Si vous n'y prenez pas garde, votre argent risque bien de filer avec le *ch'i* par les voies d'évacuation !

○ Ne faites jamais sécher de linge dans cet espace déjà soumis à l'humidité, attirant donc les mauvaises énergies.

○ Entretenez très régulièrement votre salle de bains : la présence de moisissures et de salissures attire ce mauvais œil qu'est le *sha*.

○ Veillez à un bon éclairage et à une bonne aération – ne bouchez pas vos grilles d'aération. Ainsi, un bon *ch'i* y régnera.

○ Accordez beaucoup d'importance aux matériaux. Abandonnez la moquette et choisissez plutôt des fibres végétales – le coco, le sisal, la paille, les bois tendres, le bambou, l'osier et le rotin – afin de créer une atmosphère confortable, douce et ouatée. La céramique, surtout si elle est brute, apporte un aspect calme et douillet. Attention : une fois vitrifié, le carrelage ne crée plus le même effet. Fuyez les matières synthétiques, qui sont d'ailleurs néfastes dans toute la maison ; choisissez des stores et des tapis en fibres naturelles.

○ Une plante est la bienvenue car elle stimule l'Élément Bois. Sinon, une corbeille en osier ou en coco fait très bien l'affaire.

○ Changez vos savonnettes avant qu'elles deviennent des petits bouts de rien du tout, qui attirent une énergie de pauvreté.

Dans le salon

Dès lors que vous avez appliqué les règles de base pour favoriser le *ch'i*, l'espace de votre salon ne réclame aucune recommandation supplémentaire. C'est en activant le secteur sud-est de cette pièce que vous avez réussi à réveiller les énergies financières, en particulier grâce aux objets, aux symboles et aux couleurs associés aux Éléments Bois et Eau.

Dans la chambre

Réservée à l'harmonie amoureuse, la chambre n'est pas à solliciter dans le domaine de la richesse. À moins d'avoir choisi le plateau de votre commode pour y superposer la grille du *pa kua* ; dans ce cas, stimulez le secteur sud-est comme il se doit.

Dans le jardin ou sur le balcon

La vue associée à l'Élément Bois et l'ouïe à l'Élément Eau sont à privilégier.

Comme des poissons dans l'eau

Placer un bassin rond ou une vasque avec fontaine augmente vos potentialités de richesse. Entretenez l'eau, qui ne doit pas croupir. Mettez-y des poissons, qui favoriseront le *ch'i*, à condition qu'ils soient en nombre impair. Surtout pas de piscine en L ou aux formes saillantes. Soignez la végétation : plus elle est luxuriante, plus le *ch'i* sera bénéfique.

Une vision agréable

Le tableau qui s'offre à vos yeux doit être vivant et coloré. Choisissez des végétaux aux teintes toniques, aux formes et aux textures diversifiées : des feuilles lourdes et veloutées, ou bien aériennes et découpées, des tiges lisses et rugueuses, des fleurs en forme de calice, telles que les tulipes, et en corolle, telles que les marguerites. En un mot, jouez des aspects et des contours.

Bruissements et pépiements

Juste une note au-dessus du silence, voilà ce qu'il est plaisant d'entendre dans un jardin ou sur un balcon. Laissez s'écouler une fontaine, laissez des bambous, des roseaux, voire des peupliers bruisser délicatement au vent. Et pourquoi ne pas installer un ou plusieurs carillons chinois qui ajouteront une dimension spirituelle à votre quotidien ? Quant aux oiseaux au timbre de joie, qu'ils soient ici les bienvenus ; aménagez-leur des nichoirs confortables et offrez-leur une nourriture appropriée été comme hiver.

Dans le bureau

Selon l'emplacement de la porte d'entrée, la surface rectangulaire du coin sud-est du *pa kua* symbolise la richesse. C'est ici que vous allez remplir une coupelle bleue de pièces de monnaie. Attention ! les pièces qui ne sont plus en circulation annulent tous les effets. Ne soyez donc pas avare. C'est ici que vous allez installer votre coffre-fort – vous en avez un ? – ou, plus modestement, que vous allez poser votre calculette ! Car cette simple habitude peut vous aider à multiplier vos gains. Si vous êtes dans une situation financière catastrophique, pour rétablir les énergies de richesse installez une jatte d'eau, une mini-fontaine ou un aquarium, ainsi que de grandes plantes.

Dans un studio

Aménagez votre studio en divisant sa surface : un coin pour manger, un coin pour dormir, un autre pour vous détendre et, si besoin, un autre encore pour étudier. Placez convenablement les objets, les symboles et les couleurs correspondant aux énergies des secteurs du *pa kua*. N'oubliez pas d'aérer très souvent : c'est votre seule pièce à vivre, le *ch'i* doit pouvoir y circuler.

Comment vous y prendre...

Pour augmenter vos revenus

Parce que le Feng Shui vous procure un nouvel équilibre, votre rapport à l'argent s'en trouve modifié. Mieux dans votre peau, vous devenez plus avi-sée en matière financière et moins angoissée pour affronter les fins de mois difficiles.

Votre champ d'action Feng Shui, c'est aussi bien votre maison que votre lieu de travail – bureau, atelier, cabinet ou magasin. Les principes sont les mêmes. Si vous êtes indépendante et non salariée, soyez deux fois plus empressée de les respecter.

Pour donner un coup de pouce à votre chiffre d'affaires

Vous êtes à la tête d'un commerce, vous êtes en profession libérale, vous montez une affaire... Quelle que soit votre situation, gagner de l'argent est indispensable à votre activité : c'est assez banal de le souligner. En ce domaine, le Feng Shui peut vous faciliter la vie (vous l'avez vu chap. 4) et vous aider à augmenter vos revenus. Pour que les échanges avec vos fournisseurs et votre clientèle se passent au mieux, pour que les entrées et les sorties d'argent se déroulent bien, il vous faut suivre quelques principes et découvrir quelques secrets Feng Shui :

Des règles en or

○ Veillez à la sécurité de votre bureau, de votre magasin ou de votre atelier. Des symboles protecteurs – par exemple un couple de lions ou de tigres placé près de votre porte d'entrée – peuvent éloigner les voleurs.

○ Assez grande, l'entrée doit donner tout de suite sur vos rayons. Rien ne doit entraver la curiosité de l'acheteur, rien ne doit le détourner de son envie ou de sa pulsion d'achat. Au contraire, il faut le tenter par tous les moyens !

○ Pas d'escalier dans l'entrée : il ferait sortir le *ch'i* et décalerait la vision de vos produits.

○ Ne prévoyez pas une trop grande surface vitrée ; cela provoque une perte régulière de revenus et disperse vos espoirs de gains financiers.

○ Disposé à une place stratégique, en particulier dans le secteur sud-est, un aquarium conjure les soucis financiers. Les arrowanas, des poissons tropicaux carnivores, sont appelés « poissons Feng Shui » ; ils apportent chance et prospérité à leurs propriétaires. Ils doivent être seuls dans l'aquarium et toujours en nombre impair. Les poissons rouges chinois sont également conseillés. Si vous choisissez des poissons ordinaires, il faut en avoir neuf, avec huit rouges et un noir – ce dernier absorbe les mauvaises énergies qui pouvaient vous être destinées. Dès qu'un poisson meurt, remplacez-le aussitôt, car il a capté les ondes qui vous étaient nuisibles. Pour un bassin, la carpe japonaise est recommandée.

○ Placez la caisse plutôt sur la droite, près de la sortie – ne la mettez jamais près des toilettes, car les énergies de la richesse risquent de filer par les voies d'évacuation, ni à côté du coin « cuisine », car le feu qui y règne éteindrait l'eau (l'argent). Rien ne doit surcharger sa surface ; prévoyez un autre endroit, à côté, pour démagnétiser et emballer les produits. Et, surtout, souriez.

○ Disposez un miroir près de la caisse enregistreuse afin qu'il reflète son image. Il y a désormais deux caisses enregistreuses, donc deux fois son contenu ! Symboliquement, c'est important.

○ Faites entrer chez vous le dieu de la Richesse : installez-le dans le secteur sud-est de votre lieu de travail. À défaut, prenez une statuette d'un Bouddha rieur.

○ Selon la tradition, suspendre à la porte d'entrée des clochettes ou trois pièces de monnaie chinoises reliées par un ruban rouge est propice à la richesse. Les pièces sont à mettre à l'intérieur, et les clochettes, discrètes, à l'extérieur.

○ Évitez de jeter l'argent par les fenêtres : fermez soigneusement toutes les portes de service ainsi que l'abattant des toilettes : vous vous souvenez ? Alors soyez vigilante.

Pour développer vos contacts à l'étranger

Une fois de plus, le Feng Shui vient à votre rescousse pour vous aider à dépasser les frontières.

○ Est-il besoin de le rappeler : sur votre bureau, dans votre bureau ou dans votre salon, activez le secteur nord-ouest qui est associé aux aides et aux voyages ; stimulez-le avec des objets, des symboles et des couleurs liés à l'Élément Métal ou Terre.

○ Rangez votre table de travail : on ne vous le répétera jamais assez ! Le désordre qui y règne, l'amoncellement de dossiers et la poussière accumulée ne permettent en rien la clarté de la communication. Dans le secteur nord-ouest, disposez un bouquet de bleuets, affichez une carte du monde ou placez une mappemonde. Videz régulièrement votre corbeille à papiers afin d'empêcher le *sha* de toucher à vos brouillons de lettres, à vos essais d'échanges avec l'étranger.

Vingt-cinq façons de ne pas être constamment sur la paille

1. Révisez vos proverbes

Surtout ceux qui tendent à vous faire croire que l'argent ne fait pas le bonheur ! Avoir des fins de mois plus faciles permet quand même de se détendre, donc d'être souriante.

2. Découvrez une autre culture

Selon la tradition chinoise, le Bouddha rieur est l'image du bonheur, Tsaï Shen Yeh est le dieu de la Richesse, la grenouille symbolise la chance pécuniaire...

3. Courez les boutiques chinoises

Vous y dénicherez des pièces trouées d'un carré. Attachez-les trois par trois avec un mince ruban rouge avant de les suspendre à la poignée de votre porte, à votre livre de comptes... Glissez-en également dans votre porte-monnaie.

4. Multipliez les pièces

En cas de situation financière très critique, prenez huit pièces chinoises pour en augmenter l'effet.

5. Achetez un « arbre à pièces »

C'est dans une boutique chinoise que vous le découvrirez.

6. Activez le secteur sud-est de votre maison

Ça, vous le savez déjà, que le secteur sud-est est celui de la richesse, non ? Placez-y une coupelle bleue remplie de pièces de monnaie.

7. Enterrez une tirelire contenant un ou deux euros

Et où, à votre avis ? Dans le secteur sud-est de votre jardin ou de votre balcon, bien sûr. Puisque la terre produit le métal (donc l'argent), vous pouvez également enfouir dans un bac de terre trois pièces liées entre elles par un fil rouge.

8. Installez une mini-fontaine dans votre salon

Ornez-la de plantes et éclairez-la chaque soir. Pour obtenir un meilleur effet, placez à côté la statuette d'un Bouddha rieur.

9. Remplissez un vase de verre avec des cristaux ou des pierres semi-précieuses

Il est possible d'y insérer les bijoux, en perles, en or ou en argent, que vous ne portez jamais. Puis cachez ce vase tout au fond de l'armoire de votre chambre : il ne doit pas être visible quand vous ouvrez le meuble.

10. Amadouez le dieu de la Richesse

Cette divinité chinoise est le plus souvent représentée assise sur un tigre. À l'aide d'un ruban rouge, accrochez autour de son cou trois pièces de monnaie trouées. Placez la statuette dans l'angle diamétralement opposé à votre porte d'entrée ou dans le secteur sud-est de votre salon.

11. Reconnaissez la grenouille de tradition Feng Shui

Elle présente la particularité d'avoir trois pattes. Quand elle semble « entrer » dans votre foyer, elle est symbole de prospérité, mais quand elle est orientée vers la sortie, elle a tôt fait de l'emporter avec elle. Ne la placez donc jamais en face de la porte.

12. Séparez-vous de toutes les autres grenouilles

Car elles risquent bien d'être mal placées. Les grenouilles porte-savon, dérouleuses de ficelle, minuteurs ou éponge, sont en général installées dans des endroits qui attirent un *ch'i* défavorable ou qui laissent s'échapper la bonne énergie. Alors dites-leur définitivement adieu !

13. Adoptez une tortue d'eau

Pour favoriser le secteur nord, celui du travail, vous aviez déjà adopté une petite tortue d'eau. Si vous ne l'avez pas fait, n'oubliez pas qu'elle apporte une véritable chance à la maison qui l'abrite. Occupez-vous d'elle régulièrement.

14. Glissez un petit miroir dans votre porte-monnaie

Il aura pour effet d'augmenter l'argent que vous pouvez dépenser.

15. Pensez à toutes les fleurs qui symbolisent l'argent

Achetez un *Crassula*, remplissez un vase de monnaie du pape... Et pourquoi pas un oranger ou un limettier ?

16. Choisissez un beau tableau fleuri

Cela vous évitera de culpabiliser si vous n'avez pas la main verte ou si vous avez la flemme d'entretenir quelques plantes.

17. Placez du bambou dans votre maison

Cette plante génère un excellent *ch'i*, protecteur de vos affaires financières. Le bambou est si souple et si fort qu'il peut résister à toutes les tourmentes.

18. Soignez les plantes

Toutes vos plantes doivent être luxuriantes, surtout en secteur sud-est !

19. Aimez-vous les poissons rouges ?

Utiliser de l'eau est une méthode populaire pour activer le secteur de la richesse. Des poissons qui y nagent favorisent davantage les bons courants du *ch'i*.

20. Ne laissez jamais une eau croupir

Pour attirer les bonnes énergies, l'eau doit toujours être claire.

21. Aidez les miroirs à réfléchir

Placez-les par exemple devant un coffret ou une tirelire : ils doubleront vos économies.

22. Laissez toujours fermé l'abattant de la cuvette des toilettes

Sinon vos promesses d'argent risquent bien de s'échapper par les voies d'évacuation !

23. Fermez toujours la porte de votre salle de bains

Pour les mêmes raisons.

24. Jetez les vêtements et les objets usagés

Car ils entraînent des énergies de pauvreté.

25 Et soyez charitable

Ce que l'on donne avec charité vous revient sous forme de bonté.

chapitre 6

Comment respirer la santé, bien dormir,
bien manger et soigner sans peine
tous vos bobos

Un bel intérieur, ça s'entretient

Nous naissons tous et toutes avec un capital « santé » déterminé, avec un profil spécifique auquel il nous est quasiment impossible d'échapper, révèle aujourd'hui la génétique. Cela ne signifie pas que nous aurons telle ou telle maladie au cours de notre existence, cela veut dire simplement que nous y sommes prédisposés. C'est alors que nous intervenons : par notre façon de vivre, de prendre soin de notre corps, de manger, de bouger... Et que peut faire le Feng Shui ? Non pas supprimer les maladies mais peut-être les adoucir ou les retarder. Et nous aider à adopter un mode de vie sain et équilibré.

Si vous êtes fatiguée, si vos enfants contractent de nombreuses maladies virales, si les membres de votre famille sont souvent hospitalisés, sans doute est-ce l'indice d'un mauvais Feng Shui. Commencez donc par vous soigner, puis vérifiez que votre habitation est conforme aux règles Feng Shui ; au besoin, revoyez votre aménagement intérieur. Détournez le *shar ch'i*, entourez-vous de plantes vivaces et redonnez un nouveau souffle au *ch'i*. Voilà un bon coup de ménage qui pourra vous mettre à l'abri des courants nuisibles.

Rappelez-vous que la santé est située dans le secteur est de votre maison : les plantes, les objets, les formes, les couleurs, les sons et les odeurs sont donc à placer en relation avec ce secteur. L'Élément Bois y règne.

Feuilles grasses

La fougère

Avec son feuillage vert et vigoureux, la fougère est associée au Bois.

L'orchidée

En correspondance avec l'Élément Eau, l'orchidée est précieuse pour votre santé si vous la placez dans le secteur est.

La jacinthe

La jacinthe est liée au *ch'i* du Bois. Elle est idéale pour redonner du tonus.

Le lierre

Dès que ses tiges peuvent retomber, le lierre est en rapport avec l'énergie de l'Eau.

Pas de plantes aux feuilles pointues

Évitez toutes les plantes aux feuilles pointues, qui évoquent des « flèches empoisonnées », au risque de vous voir agressée. Si vous placez les cactus à l'extérieur, ils y tiendront un rôle protecteur. À l'intérieur, préférez des plantes aux feuilles grasses et rondes, supérieures à toutes les autres.

Pas de bonsaï

Souvenez-vous que le bonsaï, qui représente une croissance interrompue, n'est le bienvenu dans aucun secteur de votre habitation. Éloignez-le toujours de votre environnement.

Fleurs coupées, séchées, artificielles

- En règle générale, les plantes et les fleurs atténuent les émissions négatives des appareils électriques, des malades et des personnes dépressives.

- Les fleurs fraîchement coupées génèrent un excellent *ch'i*, tandis qu'une fleur fanée produit une mauvaise vibration. Les fleurs séchées sont mortes, donc sans énergie.

- Les fleurs artificielles engendrent une énergie yang, donc vivante. Mieux vaut une jolie plante artificielle qu'une plante naturelle mal entretenue.

Objets lénifiants

Un aquarium

L'aquarium annihile les nocivités ambiantes en les convertissant en énergies positives.

Un cristal

Le cristal possède des propriétés vibratoires exceptionnelles ; il est utilisé pour intensifier un secteur affaibli.

Un dragon

Le dragon offre une grande résistance aux occupants d'une maison.

Un lapis-lazuli

Le lapis-lazuli est un minéral bénéfique qui protège des maladies bactériennes et qui neutralise le *sha*. Introduisez-le dans votre demeure sous la forme d'un objet.

Un oiseau

Prêt à l'envol ou en plein vol, l'oiseau favorise la longévité des occupants d'une maison.

Un Bouddha rieur

Voilà l'image du bonheur ! Le Bouddha rieur transmet bonne humeur et succès ; il aide également à combattre les difficultés.

Formes toniques

Pour activer le secteur est de la santé, disposez des formes et des volumes qui correspondent à l'énergie Bois ou Eau, c'est-à-dire :

○ une plante haute ;

○ un vase vert, haut et rectangulaire ;

○ un abat-jour vert et rectangulaire ;

○ une colonne verte ;

○ un papier peint vert à rayures verticales ;

○ un vase rond en cristal ;

○ un plat en cristal, sans forme définie ;

○ une mini-fontaine ronde ;

○ une vasque en verre ;

○ des galets noirs ;

○ un cep de vigne noirci ;

○ une draperie noire et satinée.

Couleurs plutôt froides

Le noir, le bleu et le vert réveillent les énergies liées à votre santé. Elles sont idéales pour le secteur est de votre maison, de votre chambre ou de votre bureau.

Sons tintants et stimulants

L'ouïe est liée à l'Élément Eau qui fait pousser le Bois – et le Bois est l'Élément associé au secteur de la santé. Pour le stimuler, écoutez une musique à l'ambiance aquatique. Quant au tintement d'un carillon éolien, il fortifie les vibrations du Bois.

Odeurs apaisantes

Fondée sur le pouvoir des odeurs, l'aromathérapie vise à soigner des patients avec des extraits de plantes que l'on appelle « huiles essentielles ». En voici quelques-unes que vous pouvez distiller dans votre intérieur :

○ l'huile de camomille, d'orange ou de myrrhe calme ;

○ la lavande, le néroli et l'ylang-ylang relaxent en profondeur ;

○ le bois de santal, la menthe, le poivre noir, le romarin et la sauge requinquent.

À éviter totalement

○ Les miroirs à facettes. Car ils déstructurent votre énergie.

○ Exposer une arme près d'une installation électrique peu fiable. Car des effets préjudiciables sont à craindre. Jamais au grand jamais, une arme ne doit être orientée vers les occupants d'une pièce ; il faut la tourner vers l'extérieur.

○ Porter des vêtements froissés et fatigués. Car vous aurez une petite mine chiffonnée.

○ S'asseoir sous une poutre. Car cette « flèche empoisonnée » provoquera des migraines.

○ Manger en coin de table. Car cela donne des maux d'estomac — le coin de table est également une « flèche empoisonnée ».

○ Mettre des poissons dans une cuisine, une salle de bains, une chambre ou des toilettes. S'ils confèrent bonne énergie et félicité, il est désastreux de les placer en ces lieux.

○ Dormir les pieds en face de la porte. En Chine, c'est ce qu'on dénomme « la position du défunt ».

○ Dormir entre deux portes : par exemple, celle de votre chambre et celle de votre salle de bains. Car vous aurez la sensation d'étouffer ou, au contraire, d'être dans les courants d'air.

○ Dormir sous un lustre ou en face d'un miroir. Car votre sommeil s'en trouvera détérioré.

○ Laisser un enchevêtrement de fils et de prises électriques branchées à la tête de votre lit. Car de l'anxiété et divers problèmes de santé s'ensuivraient.

○ Travailler avec trop de lumière. Cela engendre de la nervosité.

○ Tourner le dos à une porte quand vous êtes assise à votre table de travail. Ne percevant pas qui peut entrer, vous serez insécurisée, nerveuse et angoissée.

○ Tourner le dos à des rayonnages ouverts. Car, à la longue, très menaçants, ces bâtons horizontaux vous fracasseraient le dos !

Armes à feu

Si votre compagnon collectionne les armes à feu, expliquez-lui qu'une arme ancienne, aussi belle soit-elle, a sans doute déjà fait couler du sang. Il n'est donc pas conseillé de l'exposer, car elle développe un *shar ch'i* nuisible à votre famille. Même chose pour les soldats de plomb et les machines de guerre : placés sur une

console ou sur une étagère, dirigés contre vous, ils engendrent des horreurs !
Enfermez tout dans vos armoires.

Déployez votre tonicité...

Dans l'entrée

Rien à faire ici, ou presque. Car ce lieu de passage ne demande aucun aménagement particulier qui stimulerait votre santé. Reprenez juste les recommandations de base :

o Vous l'avez lu plusieurs fois déjà, mais ça ne fait pas de mal de répéter : dégagez ! Dégagez votre entrée de tous les objets encombrants qui gênent le passage. L'entrée n'est pas un débarras, c'est une vraie pièce.

o Réservez le portemanteau aux vêtements usuels, pas à ceux que vous n'aimez plus. Pas de surcharge. De même, les porte-parapluies et autres vide-poches ne sont pas des fourre-tout ; attention ! le *sha* pourrait s'y engouffrer.

o Quant au courrier, il ne doit pas s'éterniser sur le meuble de l'entrée. Ouvrez-le régulièrement, lisez-le à l'occasion puis rangez-le.

o Faites installer un système électrique de va-et-vient : il évite les déplacements inutiles et améliore le confort de tous.

Petit conseil de base : tenez votre paillasson hors de la maison ; ne laissez pas la terre et la boue pénétrer chez vous.

Dans la cuisine

Voici quelques conseils spécifiques à cet espace essentiel. À suivre donc, s'il vous plaît.

○ Préférez une cuisinière à gaz à un appareil électrique : trop puissant, ce dernier produit trop de champs magnétiques. Pour la même raison, évitez le four à micro-ondes.

○ Attention aux matériaux plastiques. Toiles cirées et surfaces stratifiées bloquent les énergies.

○ Rangez les ustensiles de cuisine dans un placard ou un tiroir. D'autant plus s'ils sont usés ou abîmés, car ils attirent le *sha*.

○ Lavez toujours l'évier, n'y laissez aucune trace de gras, aucun reste d'aliment. Pas de tapis, ni devant l'évier ni devant la cuisinière.

Petit conseil important : videz et lavez régulièrement la poubelle.

Dans la salle de bains

Voici le domaine de l'eau. Alors attention aux voies d'écoulement qui risquent – vous le savez – de faire disparaître le *ch'i* ; vérifiez régulièrement l'état de vos joints. Si les toilettes sont dans la salle de bains, séparez-les au moyen d'une cloison, d'un rideau ou d'un paravent ; la cuvette doit être éloignée de la porte.

Quant au décor, jouez avec un grand miroir qui stimule les énergies, les tons crème ou blanc cassé ponctués de quelques touches de vert ou de bleu, et des plantes disposées dans les coins. Ne prenez pas de revêtements synthétiques qui risquent de laisser l'eau s'infiltrer et provoquer de l'électricité statique. N'installez pas de placards, où l'humidité se précipiterait, et préférez-leur de simples étagères.

Petit conseil de toilette : ne vous laissez pas déborder par vos états d'âme qui rejaillissent sur votre santé. Vous êtes démoralisée ? ou au contraire électrisée ? Stimulez votre énergie yang en prenant une douche, glissez dans une énergie yin en prenant un bain.

Dans le salon

Cœur vivant de votre demeure, le salon doit être accessible depuis toutes les autres pièces. Pour vivifier le *ch'i*, les tissus, les lumières et les meubles sont à votre disposition.

○ Choisissez un éclairage et des lampadaires orientés vers le haut, des tentures et des rideaux légers, un tapis aux motifs simples, proportionnés à la surface de la pièce.

○ Disposez un canapé et/ou des fauteuils autour d'une table basse, éloignés d'une poutre ; une plante verte près du téléviseur ; une photographie loin du téléviseur ou des fleurs fraîches devant celui-ci ; des bûches derrière le pare-feu de la cheminée.

Petit conseil de rangement : évitez le fouillis et les odeurs de tabac froid.

Dans la chambre

C'est ici que vous abandonnez votre fatigue pour vous recharger en nouvelles énergies plus positives. Le respect de certaines règles du Feng Shui s'impose peut-être plus qu'ailleurs.

○ Pour ce qui est des matériaux et des couleurs : privilégiez la moquette, des rideaux drapés ou ruchés, des teintes blanc cassé ou crème qui engendrent une sensation de détente et de sérénité, enfin une peinture à l'éponge, surtout dans le rose ou le pêche, qui crée un effet lénifiant.

o Pour ce qui est de l'espace et des meubles : placez votre tête de lit contre un mur, investissez dans un bon matelas et placez-le à 20 cm du sol au moins, bordez soigneusement la couverture, posez correctement la couette, pensez à une veilleuse.

Dans le jardin ou sur le balcon

Un jardin proportionnel à votre demeure, rectangulaire ou carré, c'est bien ; un jardin pentu ou accidenté, c'est moins bien. Si cela est possible, dessinez un ou plusieurs chemins sinueux, qui améliorent le *ch'i* ; et préférez des dalles à une allée goudronnée.

o Laissez un espace vierge de plantation devant la porte de votre habitation, mais n'y casez pas la piscine gonflable des enfants, qui attirerait le malheur.

o Pourquoi pas un bassin ? Il entretiendra votre bien-être et celui de votre famille, il favorisera la longévité de vos proches. Ne le construisez jamais sur une hauteur. Placez-y des poissons par nombre pair.

Petit conseil de balayage : ramassez régulièrement les feuilles mortes.

Dans le bureau

L'ambiance d'un bureau doit être confortable, stimulante et chaleureuse. Parce qu'il est avant tout un lieu d'énergie, il est mauvais qu'il soit contigu à une chambre.

N'installez pas votre table de travail en face d'un mur, d'un angle ou sous une poutre. Ne vous placez pas dos à un miroir ou à une fenêtre.

Dans un studio

Dans ce petit chez vous sont concentrées toutes les énergies et toutes vos activités ; c'est la raison pour laquelle il vous faut user de tous les stratagèmes possibles pour diviser vos espaces : recourez à une plante, un rideau, un paravent...

Si la pièce est mansardée, créez une impression d'espace en utilisant des spots puissants, dirigés vers le plafond et contrant ainsi l'énergie pesante de la charpente. Pour déplacer l'énergie vers le haut, suspendez de grandes plantes tombantes.

Petit conseil anti-poussière : tandis que le désordre ralentit le *ch'i*, les nids à poussière attirent le *sha*.

Comment vous y prendre...

Pour préserver votre capital « 100 % santé »

Le meilleur moyen d'être au mieux de sa forme, de sa bonne humeur et de sa santé est bien sûr d'adopter un mode de vie équilibré. Ensuite, renforcer ses défenses naturelles selon la philosophie Feng Shui est assez simple et pas si éreintant que ça. Démonstration :

Pensez « couleurs » et jouez « tons »

Pour être bien, pour être gaie et le rester, rien de mieux que de colorer votre vie.

o Vous êtes au bord de l'épuisement : entourez-vous de quelques touches de rouge qui est associé à la tonicité et au bonheur.

○ Vous virez à la dépression : le jaune vif et l'orange invitent à l'optimisme. Tandis que le jaune, lié à la chance et à la joie, est bénéfique pour le système nerveux, l'orange suscite l'enthousiasme et la confiance en soi. Être triste, ce n'est pas bon pour la santé.

○ Vous êtes trop émotive : le rose rééquilibre les affects, le violet contrôle l'irritabilité.

○ Vous vous énervez pour un rien : le bleu apaise, apporte espoir, calme et harmonie ; le vert relaxe et dynamise à la fois.

N'oubliez pas l'une des règles de base : tout excès provoque le contraire de l'effet souhaité. Si trop de rouge engendre la peur et la fureur, trop de jaune favorise l'agitation.

Diffusez votre atmosphère

Quand une maison sent bon, c'est sûr, on s'y sent bien. Quand une demeure dégage des effluves désagréables, c'est certain, on n'y est pas bien. Bonnes ou mauvaises, les odeurs font naître des associations d'idées, provoquent de bonnes ou de mauvaises émotions, des souvenirs heureux ou pénibles. Sur ce principe simple éprouvé des centaines de fois, élaborez votre palette de parfums d'intérieur en offrant à vos invités, ainsi qu'à vous-même, des moments délicieux.

Vous voulez rester de bonne humeur et conserver votre punch : quelques gouttes d'huiles essentielles peuvent transformer votre disposition d'esprit. À diffuser dans des pots-pourris, des plantes séchées, sur les ampoules, dans les saturateurs des radiateurs et des convecteurs, dans le bain, pour les massages...

Éclairez, mais pas trop

Qu'elle soit naturelle ou artificielle, la lumière vous nourrit, corps et âme. Pour être de bonne humeur, mieux vaut ouvrir ses volets sur un plein soleil que sur des nuages gris. Allez chercher la lumière tant que vous pouvez, mais attention à l'excès qui entraîne irritabilité et migraine. Tout est dans l'équilibre – vous le savez fort bien maintenant.

Une chanson douce

Laissez la musique vous aider à retrouver votre calme : douce et relaxante, elle est plus efficace qu'un disque de techno mêlé au bruit d'une tondeuse à gazon. Laissez-la également vous stimuler et choisissez-la tonique.

Pour regagner en douceur les bras de Morphée

Avis aux plus paresseuses d'entre vous : en agissant sur votre environnement, vous allez connaître les joies et les bienfaits d'un sommeil profond et réparateur. En bref : vous allez dormir tout ce qu'il vous faut et bien comme il faut.

Place au repos

o Pour commencer, veillez à ce que votre chambre ne soit pas trop encombrée : comme dans les autres pièces et les autres secteurs, le *ch'i* doit pouvoir circuler librement. Afin de maintenir un équilibre entre les énergies, éloignez le lit de la porte d'entrée. Une fois allongée, l'idéal est de voir la porte mais non de lui faire face.

o Ne placez aucun bac, aucun tiroir de rangement entre le sol et le sommier : même si c'est très pratique, tout objet qui occupe ce vide freine et étouffe le *ch'i*. Si vous ne pouvez pas faire autrement, sortez et nettoyez régulièrement tout ce qui se trouve sous votre lit.

○ Quant aux armoires et aux commodes, elles doivent être réparties le long d'un mur et en nombre suffisant pour enfermer tous vos vêtements. Car tout habit laissé à l'extérieur, qui contient l'énergie de vos activités diurnes, vient perturber votre nuit. De l'ordre, donc.

Effets de meubles et d'objets

○ Si vos meubles ont des angles saillants, veillez à ce qu'ils ne soient pas dans votre direction lorsque vous dormez : l'angularité « agressive » vous nuirait.

○ Le plafond est trop haut ? Votre lit est trop bas ? Alors une masse vide « pèse » au-dessus de votre corps endormi et risque de comprimer votre cage thoracique et de nuire à votre respiration. Équilibrez les proportions : puisque vous ne pouvez pas changer de plafond, changez donc de literie ou placez par exemple une moustiquaire pour remplir l'espace.

○ Une cheminée en marbre trône dans votre chambre ? À l'instar du verre et du métal, ce matériau yang est à déconseiller dans un espace réservé au sommeil. Neutralisez le marbre : puisque vous n'allez pas le casser à coups de burin, recouvrez la tablette d'un napperon de coton ou de toute autre manière naturelle.

○ Placer un téléviseur dans sa chambre est néfaste ; si vous ne pouvez pas vous en passer, couvrez l'écran avant de vous reposer. Et n'oubliez pas que ses ondes électromagnétiques, comme celles d'un réveil électrique ou d'un ordinateur, doivent également vous être épargnées.

○ Un bureau installé dans une chambre contrarie la circulation du ch'i. L'énergie active du travail est peu recommandée dans un lieu dévolu au repos.

o Attention ! car un miroir dans une chambre réveille les énergies ; son pouvoir réfléchissant renvoie des vibrations hostiles à votre décontraction. Masquez-les avec un paravent. Il en est de même pour vos tableaux : préférez les verres antireflet.

Faites de l'ambiance

o Que votre chambre soit un véritable cocon. Du sol au plafond, des tapis aux tentures, usez de tons doux et fuyez les teintes éclatantes, nuisibles à votre repos.

o Éliminez de votre literie toutes les matières synthétiques et pensez « fibres naturelles » : elles respirent et contribuent à réguler la température du corps.

o La salle de bains ou les toilettes sont attenantes à votre chambre : c'est peut-être pratique ou confortable mais l'humidité ambiante n'est pas du tout propice à un bon sommeil. Le soir, pensez à bien fermer la porte.

o Les sources lumineuses doivent être indirectes, douces et tamisées. Pas de plafonnier, pas de lourde suspension au-dessus de votre lit, qui agissent comme une présence menaçante, comme un poids susceptible d'écraser votre corps endormi. Préférez des appliques ou des lampes de chevet.

o Les rideaux lourds et drapés favorisent l'obscurité, atténuent le bruit et assurent un sommeil paisible. Tirez-les soigneusement avant de vous coucher : pendant la nuit, ils ralentiront le flux du *ch'i* provenant de la fenêtre.

o Les bougies parfumées sont propices à la détente. De même, quelques gouttes d'huile essentielle de lavande versées dans une coupelle d'eau et posées sur le radiateur. Selon certains, des galets arrondis placés dans une coupelle de verre favorisent le sommeil ; attachés à un montant ou posés sur la tête de lit, un caillou troué et une branche de gui transforment les méchants cauchemars en rêves délicieux. On essaie ?

Pour devenir une fine gastronome

Plus vous serez à l'aise dans votre cuisine, plus vous prendrez du plaisir à mitonner de bons petits plats, à composer vos menus et à manger d'une façon saine et équilibrée. Voici quelques solutions faciles à mettre en œuvre, quelques trucs de décoration, quelques principes pour bien équilibrer les énergies entre elles. Simples et efficaces.

De la gaieté pour cordon bleu

Quand une cuisine est orientée est ou sud-est – selon nos points cardinaux cette fois, et non pas selon les directions du *pa kua* –, cela encourage à se mettre aux fourneaux. Comme ce n'est pas toujours le cas, il existe de multiples artifices pour obtenir cette énergie culinaire. Exemples :

○ si la lumière naturelle n'est pas assez abondante, choisissez des tons clairs pour la peinture et les éléments de cuisine ;

○ prenez des éclairages directionnels puissants tels que des spots, qui viendront éclairer les endroits les plus sombres ;

○ égayez vos murs en suspendant des objets, utiles ou non, qui déclineront des thèmes culinaires : des légumes, des fruits, des feuilles, des pots à épices...

Des ustensiles rutilants

Une cuisine bien conçue doit posséder de nombreux rangements. C'est évident, mais ce n'est pas toujours le cas.

○ Placez dans des placards ce qui est fonctionnel mais pas vraiment beau, tout ce qui est utile mais pas vraiment décoratif : accessoires en tout genre, petits et gros appareils, poêles un peu fatiguées, sacs plastiques, chiffons, balais...

o Au contraire, pour vos futurs achats, choisissez des ustensiles et des objets esthétiques, agréables au toucher, que vous aurez plaisir à regarder, à montrer et à manipuler.

o De même que le carrelage, l'inox illumine la cuisine et stimule le *ch'i*. Alors ne vous en privez pas, car vous avez le choix : bien lavés, non graisseux, en un mot rutilants, vos casseroles, tamis, râpes et autres égouttoirs sont à suspendre en hauteur.

Ne mélangez pas l'Eau et le Feu

o Idéalement, le lave-vaisselle et la cuisinière, l'évier, voire le réfrigérateur – c'est-à-dire les Éléments Eau et Feu – doivent toujours être séparés. Si vos appareils sont contigus, séparez-les par un objet associé à l'Élément Bois ou Terre : une plante bien fournie, un pot de grès, une sculpture en argile, des spatules en bois...

o Éloignez le coin « repas » du coin « cuisson ».

o De préférence, faites la cuisine au gaz, car de vraies flammes apportent plus de vie et de joie. De plus, les cuisinières ou les fours électriques produisent des champs magnétiques préjudiciables à votre santé.

o Choisissez du mobilier en bois.

Bien droite, bien orientée

La hauteur de votre plan de travail doit être étudiée de façon à ce que vous puissiez vous tenir bien droite, et surtout pas courbée. Pour éplucher les légumes, choisissez un élément élevé ; pour pétrir la pâte, prenez-le plutôt bas. Pour gagner de la hauteur, utilisez par exemple une grosse planche à découper.

o Quand vous préparez le repas, ne soyez pas dos à la porte. Afin d'être plus méthodique et plus pratique, et pour mieux vous attaquer à une recette sophistiquée, tournez-vous vers le sud-ouest. Si vous êtes orientée vers le sud, vous cuisinerez avec bonheur, rapidité et facilité ; quant au sud-est, il stimulera votre créativité. Évitez l'ouest, qui entraîne une certaine négligence, ainsi que le nord, qui modère le plaisir et n'incite guère à l'imagination.

Madame Propre, c'est vous !

S'il est toujours bon de vivifier le *ch'i*, il reste indispensable de contrer le *sha* qui sommeille dans le sombre, l'humide et le putride, qui se niche dans la poubelle, sous le tapis et parmi les taches de gras. Ça, vous le savez maintenant. Alors faites-lui une guerre sans répit car, sinon, il risque fort d'anéantir votre joie gustative et de ruiner votre créativité culinaire. Videz, lavez, brossez et récurez : à bonne cuisinière bonne ménagère.

o Gardez votre plan de travail toujours net et propre.

o N'encombrez pas la table de divers bibelots qui n'ont rien à faire ici.

o Agrémentez votre cuisine en disposant çà et là des plantes, des herbes aromatiques ou des fleurs en pot. Remplissez des coupes de fruits, qui assainissent l'atmosphère et génèrent une énergie d'abondance. Dans un brûle-parfum, diffusez des essences de citron qui rendent l'air plus frais et plus tonique.

o Et puis n'oubliez pas une chose : vous n'avez pas le monopole de la casserole. Ouverte à tous, la cuisine doit demeurer un haut lieu de convivialité.

Pour venir à bout de vos bobos

Un bobo se guérit bien vite et bien mieux quand il n'est pas géré dans le stress. Vous avez déjà vécu cette scène : en fin de soirée ou en plein week-end, quand on manque d'un remède naturel ou d'un médicament, cela prend vite des proportions exagérées. Avoir toujours à la maison et sous la main une trousse de première urgence, voilà qui fait partie des règles de bon sens et de précaution recommandées par le Feng Shui.

Voici le contenu indispensable de votre armoire à pharmacie (en respectant un rangement strict et sécurisé) :

o des compresses ;

o des pansements ;

o un antalgique ;

o un antiseptique ;

o une pommade contre les piqûres d'insectes ;

o du gel pour apaiser les brûlures ;

o une crème ou de la teinture d'arnica pour les contusions ;

o des granules homéopathiques d'arnica 6 CH pour les chocs ;

o des granules homéopathiques pour prévenir la grippe ;

o de l'orme rouge contre les indigestions et les troubles de l'estomac ;

o des antidiarrhéiques ;

o du Nux Vomica 6 CH pour les migraines et les nausées ;

o de la menthe poivrée en infusion pour les indigestions ;

o de la camomille en infusion contre les insomnies ;

o une huile essentielle de lavande pour les maux de tête et les brûlures ;

o une huile essentielle d'arbre à thé pour les coups de froid et la grippe ; utilisée en application externe sur une compresse, elle est antiseptique et fongicide.

Pour bichonner votre chat et choyer votre chien

Votre animal de compagnie est à votre image : il ne se pose pas n'importe où, il choisit son environnement. Un chien ou un chat élit de lui-même l'endroit où il se sent bien, adoptant ou au contraire désertant la place que vous lui aviez imposée. Pour vivre en bonne intelligence avec vos bêtes, prenez soin d'elles : elles vous le rendront bien.

Respectez son lieu d'élection

Afin que votre chien ou votre chat puisse se reposer et se sentir en sécurité, installez son panier, son coussin ou sa litière dans la pièce la plus fréquentée, de préférence dans un coin. S'il est installé trop près d'une porte ou le long d'un mur, il risque d'être perturbé par les énergies de passage. De toutes les façons, respectez ses choix : si vous le voyez traîner sa couverture à l'autre bout de la pièce, suivez-le – il sait ce qu'il fait – ; s'il est craintif, il aimera se blottir sous une table ou sous un meuble – respectez sa nouvelle adresse.

Quand un chien ou un chat est malade, ses vibrations s'affaiblissent ; il a alors tendance à se réfugier dans des zones de basse intensité énergétique. C'est pourquoi vous le verrez se terrer dans un endroit discret. Pour l'aider à se requinquer, à se « recharger » en énergies plus fortes, aidez-le à retrouver peu à peu sa place habituelle.

Soyez une mère pour lui

Secouez et lavez régulièrement les affaires de votre animal de compagnie. Changez souvent sa litière. De même, la qualité de l'air influe sur ses humeurs et sur sa santé. Afin qu'une atmosphère confinée ne le rende ni neurasthénique ni irritable, aérez soigneusement votre maison avant de partir.

En automne, comme tout être humain, un animal peut souffrir d'une dépression saisonnière due à la diminution des heures d'ensoleillement. Pensez-y et, à l'approche de l'hiver, sortez-le plus longuement en mi-journée.

Protégez-le des agressions

Sans même vous en rendre compte, vous imposez souvent à votre animal chéri toutes sortes de bruits, plus nocifs et plus stressants les uns que les autres : stridence du téléphone, sifflement de la sonnette, violence d'une porte claquée, assourdissement d'un aspirateur ou d'un mixeur... Doté d'une ouïe mille fois plus fine que la vôtre, votre chien ou votre chat est véritablement agressé par ces nuisances sonores. L'idéal est donc de vous enfermer ou bien de l'éloigner dès que vous utilisez l'un de ces appareils barbares aux terribles et dangereux décibels.

À l'extérieur, nos amies les bêtes sont soumises aux énergies environnantes. Tenez-en compte. Ainsi, un chien est bien moins agressif sur l'herbe ou près d'un arbre que sur des pierrailles ou un sol bétonné. Si votre jardin est avant tout composé d'arbres ou d'arbustes épineux, un animal sera perturbé par ces végétaux agressifs qui dispensent une énergie négative. Pour son équilibre comme pour le vôtre, harmonisez vos plantations.

Attention ! chien méchant . . . .

Si vous installez une niche sur un terrain qui surplombe votre habitation, votre chien risque de devenir menaçant : depuis ses hauteurs, il dominera les occupants de la maison. Ramenez-le à de plus justes proportions.
. . . .

À la niche

Si vous installez une niche, essayez dans la mesure du possible de tenir compte de son orientation.

o Orientée plein nord, elle jouit d'un ensoleillement limité, qui appauvrit son flux énergétique intérieur. Pour l'optimiser, construisez-la en bois. Malgré tous vos soins, votre gentil chien risque fort de souffrir de l'humidité, d'un sentiment de solitude, d'un manque de vitalité ou d'une santé défaillante. Le nord est donc à proscrire.

o Orientée plein sud, la niche devient un piège à soleil où se concentre l'énergie yang, inadaptée à un animal déjà agressif ou trop actif. L'effet est identique si la niche est en plein courant d'air. Gare à la tôle qui lui sert de toit : elle écrase de chaleur et a des effets néfastes sur la santé.

o Orientée est ou ouest, la niche reçoit l'énergie du lever et du coucher du soleil. Tandis que le soleil levant apporte plus de dynamisme le matin, le soleil couchant favorise le calme et le repos. Quoi de mieux pour votre tendre toutou ?

Si un cours d'eau passe près de la niche, attention à son orientation, qui possède un effet positif ou négatif sur votre chien :

o situé au nord de l'entrée de la niche, il entraîne le froid et l'humidité, et provoque des maladies ;

o situé au nord-ouest, il risque de rendre votre chien dépressif ;

o situé à l'ouest, il entraîne un sentiment de grande solitude ;

o situé au sud-ouest, il provoque des problèmes rénaux.

Vingt-cinq façons de rester en pleine et en bonne forme

1. Soyez souriante et féminine

De même que l'argent attire l'argent, une mine resplendissante attire la santé.

2. Soignez votre tenue

Pour avoir du tonus, rien de tel qu'une mise impeccable. Prenez soin de recoudre les ourlets qui pendent, les trous dans les poches et les boutons qui manquent.

3. Portez des bijoux, même fantaisie

Soyez brillante et bien nantie. Un signe de prospérité joue sur la santé.

4. Choisissez des accessoires en harmonie avec votre silhouette

Pas de trop grande sacoche, pas de tout petit sac à main. Même chose pour les ceintures et les chapeaux.

5. Placez toujours des fleurs chez vous

Elles éloignent les vibrations négatives. Et mieux vaut une belle fausse plante à une vraie plante négligée.

6. Recherchez des formes toniques

C'est-à-dire des formes en hauteur. Vous avez le choix.

7. Respirez des huiles essentielles

Pour vous relaxer, choisissez de l'huile de camomille, d'orange, de myrrhe ou de lavande. Pour vous donner un coup de fouet, tournez-vous vers le bois de santal, la menthe et le poivre noir.

8. Devenez une vraie petite fée du logis

De la cave au grenier, rangez, lavez, briquez. Faites de la poussière votre pire ennemie. C'est un peu fatigant, mais bon, vous vous en remettrez.

9. N'exposez aucune arme chez vous

Pensez-y : les armes anciennes ont peut-être déjà fait couler du sang.

10. Améliorez votre position de sommeil

Une bonne position du lit permet une bonne circulation du *ch'i*.

11. N'affaiblissez pas votre énergie

C'est ce que vous risquez de faire si votre lit est situé en face des toilettes ou de la salle de bains. De même s'il se trouve en face d'une porte, tournant le dos à une porte ou entre deux portes.

12. Déplacez votre lit

Si vous traversez une période de fragilité, pendant le temps qu'il faut pour vous rétablir installez votre lit dans le secteur est, qui correspond à la santé.

13. Révisez l'état de votre literie

La qualité de votre sommeil est capitale. C'est d'autant plus important que vous passez un tiers de votre existence à dormir.

14. Pensez à votre coiffeuse

De même que vous prenez soin de votre maquillage, faites attention à tous les objets situés, dans votre chambre, sur votre coiffeuse : pas de flacons mal rebouchés, de cotons usagés, de glace pas nettoyée... Même chose pour votre salle de bains.

15. Méfiez-vous des miroirs à facettes

Car ils déstructurent votre énergie.

16. Ne laissez pas de linge à sécher toute la nuit

Si vous laissez pendant toute la nuit du linge à sécher, attention : il absorbe des énergies yin qui affaibliront votre énergie yang.

17. Étendez votre lessive dans la journée

Et si c'est possible, mettez le linge à sécher dehors.

18. Égayez votre cuisine

Si votre cuisine n'est pas orientée à l'est ou au sud-est, apportez-lui de la couleur, de la lumière, de l'air et un joli décor. Vous y serez bien mieux.

19. Ne vous laissez pas envahir

N'encombrez pas la table de la cuisine de toutes sortes d'objets et de bibelots. Faites place nette.

20. Éloignez le feu de l'eau

Ne placez pas une cuisinière près d'un évier, par exemple.

21. Faites le plein en couleurs et en senteurs

Les plantes, les fleurs, les herbes aromatiques et les fruits sont les bienvenus dans votre cuisine.

22. Vérifiez le contenu de votre armoire à pharmacie

Vous éviterez ainsi la panique du dimanche soir, quand tout est fermé alors que vous avez terriblement mal aux dents.

23. Gardez des remèdes à portée de main

Pour soigner un petit mal de ventre, une légère migraine ou un bobo.

24. Sachez prendre soin de vos animaux de compagnie

Pensez à bien nettoyer leur panier, leur niche ou leur litière. Et protégez-les de toutes les agressions qu'ils subissent, tant à l'intérieur qu'à l'extérieur.

25. Et luttez contre la morosité

La tristesse, c'est la porte ouverte à la première maladie qui passe.

chapitre 7

Comment préserver, quoi qu'il arrive,
l'esprit et la vie de famille

Un bel intérieur, ça se fait à plusieurs

Dans notre société occidentale devenue de plus en plus individualiste, nous sommes habitués à posséder chacun un espace plus ou moins personnel : les enfants dans leur chambre, les parents dans la leur ; et, d'une manière tacite, la cuisine vous est souvent réservée à vous, madame, et l'atelier ou le bureau à monsieur. Chacun s'y sent un peu chez soi – même si aucune règle absolue ne préside à cette répartition. Avant toute chose, sachez rester vous-même, vivre comme vous l'entendez tout en respectant les autres : tels sont les préceptes Feng Shui pour atteindre l'harmonie.

Rappelez-vous que la famille est située dans le secteur est de votre maison : les plantes, les objets, les formes, les couleurs, les sons et les odeurs sont donc à placer en relation avec ce secteur. L'Élément Bois y règne.

Fleurs d'entente

L'orchidée

Liée à l'Élément Eau, l'orchidée est idéale pour préserver votre vie familiale.

Le tournesol

Disposés en bouquet au centre de votre salon, les tournesols créent une atmosphère apaisante.

Le lys

Parfait dans votre salon ou votre salle à manger, le lys concourt à créer un climat de tout repos.

L'œillet

L'œillet blanc favorise l'amour serein. Il apporte le calme dans la maison.

Le bleuet

Parce qu'il stimule la communication, le bleuet est tout indiqué pour retrouver le dialogue en famille. Placez donc un bouquet de bleuets sur la table basse du salon.

La fougère

Avec son feuillage vert vigoureux, la fougère est associée à l'Élément Bois. Elle est idéale dans le secteur est de la grille du *pa kua*.

La jacinthe

En correspondance avec le *ch'i* du Bois, la jacinthe ressoude les liens familiaux.

Le lierre

Associé à l'Élément Eau dès que ses tiges retombent, le lierre est à suspendre dans une pièce.

Pas de plantes aux feuilles pointues

Les plantes « piquantes » ou aux feuilles pointues évoquent les « flèches empoisonnées » qui agressent les occupants d'une maison. Pour conserver une bonne harmonie, placez-les à l'extérieur, où elles jouent d'ailleurs un rôle protecteur.

Objets de bonheur

Un aquarium

L'aquarium a un pouvoir lénifiant : il calme petits et grands tout en transformant les nocivités ambiantes en forces positives.

Un cristal

Le cristal possède des propriétés vibratoires positives.

Un dragon

La représentation d'un dragon donne de la joie et du dynamisme aux membres d'une famille.

Un Bouddha rieur

Image de la félicité, un Bouddha rieur transmet de la bonne humeur et du succès. Il aplanit les difficultés familiales.

Des photographies

Les photographies qui vous sont chères ou qui évoquent un moment de bonheur doivent être soigneusement présentées : placez-les sur votre bureau ou dans tout autre espace personnel. Toutefois, méfiez-vous des vibrations qu'elles émettent ; en effet, toute personne qui manque sur une photographie de famille risque bien de le rester pour très longtemps ; en l'exposant, vous figez son éloignement. Et l'image du bonheur, ce ne sont jamais trois personnes ensemble, car celle du milieu viendra un jour ou l'autre séparer les deux autres. Ces clichés ont leur place dans un album, pas sur un mur.

Formes toujours hautes

Pour activer le secteur est de la famille, disposez des formes et des volumes qui correspondent à l'Élément Bois ou Eau, c'est-à-dire :

o un vase rond en cristal ;

o un plat en cristal ;

o une mini-fontaine ronde ;

o une vasque de verre ;

o des galets noirs ;

o un cep de vigne noirci ;

o une draperie noire et satinée ;

o une plante haute ;

o un vase vert, haut et rectangulaire ;

o un abat-jour vert et rectangulaire ;

o une colonne verte ;

o un papier peint vert à rayures verticales.

Couleurs toujours froides

Le noir, le bleu et le vert réveillent les énergies associées à la vie familiale. Mais attention à ces couleurs froides, qui ne doivent pas dominer au salon. Parfaites en petites touches pour raviver l'esprit de famille, elles sont à ajouter à des tons plus chauds qui apportent de la gaieté.

Sons et lumières

Tandis que la vue est le sens lié à l'Élément Bois, lui-même en correspondance avec le secteur est de la famille, l'ouïe est reliée à l'Élément Eau qui fait pousser... le bois. C'est la raison pour laquelle il est judicieux de projeter, sur un mur ou sur écran, des images associées à une musique d'ambiance aquatique ; cela fait naître d'excellentes relations entre les occupants d'une même demeure. Sans oublier le traditionnel tintement du carillon éolien.

Odeurs de bonne humeur

Les fragrances florales génèrent l'épanouissement, l'affection, la paix et la bonne humeur. Si vous diffusez des extraits de jacinthe dans votre maison – une plante associée au *ch'i* du Bois –, vous allez revaloriser les liens familiaux existants.

Le cèdre, la rose, la cannelle, la framboise, le jasmin, la lavande, la pêche, le pois de senteur et le santal sont autant d'essences qui encouragent les bons sentiments.

À éviter, c'est sûr

○ Prendre vos repas sur une table rectangulaire ou carrée. Car seules les tables rondes ou ovales permettent vraiment la communion, la décontraction et la communication.

○ Entasser du linge à repasser sur un canapé ou sur la table de la salle à manger.

○ Surcharger le salon de meubles imposants. Cela étouffe les occupants d'une demeure.

- Créer une ambiance yang pour le repas du soir. Car elle excite tout le monde, enfants comme parents.

- Placer la table sous une poutre. Car cette dernière menace les convives.

- Installer un salon au fond d'un long couloir sombre.

- Laisser vos enfants jouer le soir dans le salon. Car c'est le lieu de repos des adultes.

- Disposer des plantes aux feuilles pointues dans votre salle de séjour.

- Disperser un peu partout les canapés ou les fauteuils. Pièces maîtresses de votre salon, ils doivent se faire face autour d'une table basse.

- Laisser la télévision diffuser des programmes que personne ne regarde.

- Mettre une photographie sur le téléviseur. Car ceux qui ont été photographiés interceptent toutes les mauvaises vibrations.

- Laisser l'eau des plantes stagner dans les soucoupes. Croupie, elle attire le *sha*.

Déployez votre convivialité...

Dans l'entrée

Imaginez une entrée accueillante, à la lumière douce, ornée d'une petite table ronde nappée sur laquelle figure un vide-poches réservé à vos clés. Imaginez un portemanteau disponible, prêt à recevoir vos effets, ou encore un tapis douillet qui vous attend pour vous déchausser... Voilà le genre d'atmosphère qui fête dignement le retour de la maisonnée.

Petit conseil de base : donnez envie à toute votre famille de regagner ses pénates.

Dans la cuisine

Pour entretenir une harmonie familiale, il est essentiel de respecter les règles de base du Feng Shui. En cas de tension, vous savez ce qu'il vous reste à faire : stimuler le secteur est de la grille du *pa kua*.

Qu'elle soit petite ou grande, la cuisine est le lieu par excellence des retrouvailles. Tout le monde s'y croise, du matin au soir. Pour que le *ch'i* puisse y circuler librement, la pièce doit être sèche, très éclairée et bien aérée : une hotte aspirante évite les émanations de cuisson, qui s'avèrent néfastes dès qu'elles stagnent ; le plan de travail est net et propre ; la table est débarrassée à tous les repas.

Petit conseil crucial : la télévision est à proscrire de cet espace dévolu aux échanges familiaux.

Dans la salle de bains

Tandis que la cuisine est le lieu des retrouvailles familiales, la salle de bains est celui de l'encombrement matinal, quand tout le monde se lève en même temps. Pour éviter bousculades énervées et échanges incivils, rien de mieux qu'un peu d'organisation et beaucoup de bonne humeur. Faites donc de cette pièce un modèle de convivialité, d'ordre et d'harmonie.

○ Rangez dans des corbeilles vos crèmes de jour comme de nuit, vos brosses à cheveux et tout votre attirail. Une bonne présentation est nécessaire pour produire un *ch'i* favorable. Rebouchez soigneusement les flacons de toilette et les tubes de dentifrice ; débarrassez-les de toute bavure : c'est quand même plus agréable pour celui qui passe derrière vous ! Évitez d'en entamer plusieurs à la fois. Ne laissez pas de pauvres savons se noyer dans une soucoupe sans écoulement.

o Faites attention aux accessoires de bain – éponges, gants de crin, brosse pour le dos ou brosse à ongles – : ils n'ont pas à dégouliner en attendant désespérément leur prochaine utilisation. Essorez-les, égouttez-les au maximum.

o Étendez convenablement le linge de toilette. Une serviette humide abandonnée à son triste sort dégage une épouvantable odeur de moisi ou de rance, au choix.

Petit conseil de famille : faites comprendre à tous que les petites négligences attirent une énergie négative qui s'installe dans les lieux et se révèle fort déplaisante pour tous les hôtes d'une salle de bains. Un tel comportement a de quoi miner les membres de la communauté.

Dans le salon

Situé au centre de la demeure et facile d'accès, le salon représente avant tout un coin de détente, de réunion et de convivialité. Ne laissez pas vos enfants le transformer en salle de jeux. Chacun doit posséder son coin personnel afin de se livrer tranquillement à sa passion : informatique, puzzle, maquette, musique...

Comme les murs, les meubles ont une mémoire : ils gardent l'empreinte de la personnalité et de l'histoire de leurs propriétaires, ils restituent leurs vibrations, ils se souviennent des tensions qu'ils ont vécues. Ainsi, votre demeure peut se voir envahie par des énergies d'autoritarisme ou de faiblesse, de maladie ou d'impotence, de générosité ou d'avarice, de bienveillance ou de méchanceté... Si les bons sentiments sont agréables à accueillir, on se passerait bien en revanche de toutes les impressions douloureuses, nuisibles au bien-être domestique. Vous ne voulez pas vous séparer de meubles reçus en héritage ? Oubliez-les au grenier.

Petit conseil prudent : si vous accrochez dans votre salon les portraits de vos aïeuls, qu'il s'agisse des vôtres ou de ceux de votre compagnon, vous risquez fort de ne plus être à l'aise chez vous, libre de vivre comme bon vous semble. Car vous aurez toujours l'impression d'être la fillette qui est encore chez papa-maman, chez ses grands-parents, voire ses beaux-parents. Cette sorte d'autorité pèsera inconsciemment sur l'ensemble d'une maisonnée.

Dans la chambre

Qu'avez-vous à faire de particulier dans la chambre pour préserver l'harmonie familiale ? Rien de plus que de respecter les règles de base de l'art Feng Shui.

Malgré le bonheur de vivre en famille, préserver son intimité est indispensable. Pour se ressourcer, pour se couper un instant du mouvement effréné des enfants, pour avoir simplement l'impression de posséder un espace rien qu'à vous, réservez-vous un coin, qu'il s'agisse d'un grenier aménagé, d'une remise au fond du jardin ou de tout autre espace. Si vous vivez en couple, la chambre ne peut remplir ce rôle.

Petit rappel : ne dormez pas sur deux matelas réunis sur un même sommier, car cela a pour effet de diviser le couple, d'abord symboliquement parlant, puis...

Dans le jardin ou sur le balcon

Si vous respectez les proportions et le jeu subtil des pleins et des vides, une tonnelle, un kiosque ou une véranda stimulent parfaitement l'harmonie de votre famille. Et quoi de mieux pour se prélasser langoureusement ! Attention aux formes trop angulaires.

Soignez votre jardin ou les plantes de votre balcon : tout doit être luxuriant. Un point d'eau produit une énergie bénéfique quand l'eau est claire – vaseuse, elle attire le *sha*.

Petit conseil luxueux : si vous avez la chance d'installer une piscine – en dur ou simplement gonflable, pour les enfants –, prenez-la arrondie ; cela crée un *ch'i* positif.

Dans le bureau

Rien à faire ici de spécifique. Sauf bien sûr de stimuler le secteur de la famille sur votre plan de travail avec des objets, des symboles, des formes et des couleurs associés à l'Eau et au Bois. En bref, la routine Feng Shui !

Dans un studio

Même chose que ci-dessus.

Comment vous y prendre...

Pour avoir enfin un enfant

Quand une grossesse tarde à venir, le Feng Shui peut vous donner un petit coup de pouce afin d'éviter simplement quelques maladresses. Les aménagements spécifiques sont peu nombreux : après avoir stimulé le secteur est de votre chambre, installez sur un meuble réservé à cet effet la statuette d'une mère qui porte ou qui allaite son enfant. Soyez prudente : si vous en disposez une ou plusieurs dans votre intérieur, ne le faites pas n'importe où et n'importe comment ; évitez les pièces contiguës ou proches des toilettes ; ne placez pas de figurines en face d'une porte, sous une poutre ou sous un escalier ; dans le jardin, veillez à ce qu'elles possèdent un « toit » au-dessus de leur tête.

Qu'elles soient traditionnelles ou sacrées, icônes, porte-bonheur ou fétiches, les représentations sont toujours à installer dans des endroits soigneusement choisis : on n'a jamais vu une Vierge à l'Enfant trôner entre un grille-pain et un mixeur !

Cinq questions pour avoir un bébé

Si l'attente se fait trop longue ou trop désespérée, posez-vous ces questions.

1. Possédez-vous un bonsaï dans votre maison ? Rappelez-vous qu'il bloque la croissance. Il peut donc générer des fausses couches.

2. Avez-vous une mare, une piscine ou un plan d'eau dont l'eau est vaseuse ou croupie ? Souvenez-vous qu'elle attire le *sha*. Et, symboliquement, l'eau est associée à la fécondité.

3. Quand vous dormez, recevez-vous sur votre ventre les méfaits d'une « flèche empoisonnée » : une poutre, un lustre, une ombre portée ou toute forme hostile ? Vous en connaissez les ravages.

4. Possédez-vous une statuette de femme à l'enfant qui est abîmée ? Une telle représentation est-elle placée à côté d'un hachoir ou de tout autre instrument barbare ?

5. Vous regardez-vous dans un miroir à facettes, voilé, piqué, fêlé ou déformant ? L'image qu'il vous renvoie s'arrête-t-elle au niveau du ventre ?

Vous savez ce qu'il vous reste à faire : vous débarrasser du bonsaï, nettoyer le plan d'eau, déplacer votre lit, acheter une statuette neuve et un nouveau miroir. Et arrêter de vous stresser en activant le secteur est, qui est aussi celui de la santé.

Pour dresser la table de famille

Quelle que soit la réunion de famille – un simple dîner, un souper avec nombreux invités ou un vrai banquet –, rassembler ses proches autour d'une table n'est jamais chose facile. Si cette sacro-sainte famille reste pour vous un bien précieux, si vous avez envie de la retrouver aux petites comme aux grandes occasions, un certain nombre de règles de bienséance sont à respecter. Car – et c'est paradoxal – il vous faudra être deux fois plus prévenante avec vos parents, vos beaux-parents, vos oncles ou tout autre cousin éloigné qu'avec vos amis. En effet, même quand il n'existe aucun lourd secret à porter, chaque famille possède toujours quelques petites discordes non réglées et quelques animosités latentes qui, à la moindre anicroche, au détour d'un dîner, risquent de resurgir. Pour qu'un repas pris en commun devienne une fête et ne vire pas au cauchemar, voici les solutions que vous apporte le Feng Shui... sur un plateau :

À la bonne franquette

Même si recevoir un ou deux parents à dîner chez vous reste une chose assez simple à organiser, il est toutefois bon de respecter la destination de chaque pièce : on mange dans la salle à manger, puis on se réunit au salon pour prendre le café ou une infusion. Si vous vous éternisez, les invités parmi les plus impatients risquent de se sentir pris en otages autour de la table. Et les plus susceptibles d'entre eux verront là un signe d'autorité, voire de rétorsion.

Savoir recevoir

À l'occasion d'un anniversaire ou le soir de Noël, vous avez décidé de réunir chez vous de nombreux membres de votre famille. Ces derniers se sentiront plus à l'aise et mieux reçus s'ils évoluent dans un cadre chaleureux, confortable et convivial. Qu'importe le style de votre mobilier ou la finesse de votre vaisselle, l'important est de donner une impression d'abondance avec trois fois rien.

Le décor : des plantes, des fleurs fraîches ou artificielles, des bougeoirs avec bougies colorées, des coupes débordant de fruits frais, des coupelles de bonbons assortis, des assiettes de toasts et de petits fours, des assortiments sucrés ou salés offerts au grignotage... voilà autant de victuailles qui peuvent être disposées sur les meubles du salon et de la salle à manger. Vos convives se sentiront choyés – soyez-en sûre.

La table : le choix de la table est toujours important. Méfiez-vous des tables en forme de T ou de L dont l'énergie négative risque de réveiller de vieilles querelles familiales. Gardez-vous de placer quiconque en coin de table, car un angle saillant a pour effet symbolique de rejeter celui qui y est assis. Pour éviter ces inconvénients, pourquoi ne pas préparer un buffet autour duquel se retrouveront joyeusement vos hôtes ? Pour un dîner plus intime, la table ronde favorise l'harmonie et les échanges.

Les sièges : aussi proche soit-il, un parent qui se voit relégué sur un tabouret de cuisine parce que vous manquez de chaises risque fort de se sentir offusqué. S'il le faut, allez emprunter chez vos voisins les sièges nécessaires. Que personne ne se sente ni exclu ni lésé.

La vaisselle : de nouveau, ménagez les susceptibilités et misez sur l'égalité entre invités : il vaut mieux éviter un service incomplet, même s'il est agrémenté de plats prêtés par une amie. Si une telle table dépareillée n'est pas recommandable, il est tout aussi inconvenant de servir vos proches dans des assiettes ébréchées ou aux motifs usés. Pour recevoir de nombreux invités, il est parfois plus facile de louer la vaisselle appropriée.

Les serviettes : qu'elles soient en tissu ou en papier, les serviettes de table réclament toute votre attention. Leurs motifs sont importants : un dessin géométrique imprimé sur une étoffe agresse la bouche qui s'y essuie, et cette bouche « blessée » risque alors d'exprimer des paroles désobligeantes ; afin que les adultes ne régressent pas en se comportant comme des enfants turbulents, évitez les dessins naïfs qui les renverraient à l'époque des chamailleries. La meilleure solution ? Choisir des serviettes en tissu uni, voire fleuri.

Grandes occasions

Pour une grande occasion, vous souhaitez organiser une fête familiale. Si les convives sont nombreux, louer une salle peut s'avérer la meilleure solution. Dans ce cas, ses aménagements sont à étudier avec attention. À éviter :

○ Une salle trop éloignée des habitations, isolée en pleine campagne : elle créerait un sentiment de relégation. De là à ce que vos invités pensent qu'ils ne sont pas vraiment appréciés, il n'y a qu'un pas – que certains franchiront.

○ Un gymnase : ce lieu d'échauffement, d'entraînement et de compétition, dont les murs conservent des énergies de rivalité, n'est guère propice à la réunion familiale.

○ Une salle municipale : souvent trop grande et impersonnelle, elle donne un effet de vacuité. D'une manière inconsciente, vos proches auraient l'impression de se réunir « dans le vide », expression soulignant que la réunion n'a pas lieu d'être ! Pour éviter cela, décorez-la soigneusement et mettez-y des touches personnelles.

○ Une salle à l'acoustique désagréable : trop de résonance crée un brouhaha qui évoque les chuchotements, les cancans et les indiscrétions. Les invités parmi les plus susceptibles risqueraient d'en prendre ombrage et de gâcher votre belle réunion.

Si vous avez le choix, louez une salle des fêtes ou un lieu exclusivement réservé aux rassemblements joyeux.

Pour vivre avec un aïeul

Que ce soit pour une visite brève, le temps d'un séjour ou pour vivre à vos côtés, recevoir un aïeul demande une grande vigilance. Il est préférable que la pièce située dans le secteur est, correspondant à la santé, à la famille et à l'hérédité, lui soit attribuée.

Suivez scrupuleusement les règles de base du Feng Shui : jouez des formes, des symboles, des objets et des couleurs associés aux Éléments Eau et Bois, et respectez avant tout les goûts de votre invité. Pour stimuler sa santé et sa longévité, placez dans sa chambre des photographies, des peintures ou des figurines des animaux suivants :

○ le daim, qui est presque toujours représenté avec Sau, le dieu chinois de la Longévité, car il en est également le symbole ;

○ la grue, le phénix ou tout oiseau figurés en plein vol, car ils symbolisent la longévité et l'immortalité ;

○ la tortue, qui est l'animal le plus résistant du bestiaire. À posséder en exemplaire ou en représentation unique pour profiter de ses bienfaits.

Pour partir tous ensemble en vacances

Les vacances approchent, et vous partez en famille. Que ce soit en camping, à l'hôtel ou en location, peut-être ne vous sentirez-vous pas très bien dans un nouveau lieu, qui possède ses propres énergies. Habituée à l'harmonie que vous faites désormais régner chez vous, il vous faut maintenant appliquer les règles de Feng Shui à l'extérieur. Voici quelques conseils judicieux pour mieux vivre votre trajet et votre séjour :

En voiture

○ Avec un pare-soleil, protégez-vous d'une trop forte luminosité qui provoque de l'énervement.

○ Pensez à mettre de la musique, mais choisissez bien votre programme : le Feng Shui vous conseille des mélodies douces mais assez rythmées. Trop relaxante, la musique vous endormira ; trop violente, elle vous excitera. Modulez l'acoustique, car une forte sonorité prive de l'écoute des bruits du moteur et de la circulation. Faites des pauses silencieuses : l'alternance du silence et du son rend le voyage plus agréable.

○ Profitez des arrêts pour aérer entièrement votre voiture.

○ Jetez les papiers d'emballage et les bouteilles vides.

○ Nettoyez votre pare-brise et parfumez légèrement votre voiture – attention aux parfums entêtants.

En camping

S'il est difficile de choisir son emplacement au camping, vous pouvez toutefois organiser votre environnement selon les règles du Feng Shui :

○ séparez au mieux vos lieux de vie, c'est-à-dire avant tout le coin « cuisine » du coin « sommeil » ; créez un espace pour suspendre vos vêtements, car il n'est pas bon de les laisser enfermés dans les valises ;

○ mettez de l'ordre le plus souvent possible ; aérez votre tente ou votre caravane plusieurs fois par jour en créant un courant d'air : ouvrir une porte ne suffit pas à chasser les mauvaises énergies qui se réfugient dans les recoins ; aérez vos duvets avant de les ranger ;

o désormais réduit, votre espace de vie doit être dégagé ;

o même sous une tente, évitez d'employer une vaisselle dépareillée ;

o placez des fleurs fraîches, car elles dégagent de bonnes vibrations ; à défaut, emportez dans vos bagages un petit bouquet de fleurs en tissu.

Pour pique-niquer ou pour passer une nuit – si vous voyagez en camping-car –, choisissez un endroit vallonné, si possible proche d'un cours d'eau. Pour dormir, placez la porte d'entrée de votre voiture en face du ruisseau.

À placer dans vos valises

- **Des bâtonnets d'encens et un support en bois (incassable et léger) pour les faire brûler.**
- **Du papier d'Arménie.**
- **Une boîte d'allumettes.**
- **Un petit bouquet de fleurs en tissu.**
- **Un gobelet qui servira de vase.**
- **Un CD-Rom de musique douce.**
- **Un objet en cristal, de préférence une boule à facettes, à suspendre à un fil.**
- **Des punaises.**
- **Des bougies chauffe-plats dans leur emballage en aluminium.**

À l'hôtel, en location

Si vous devez séjourner un certain temps dans un lieu, réorganisez la disposition des meubles : suivez avant tout vos propres goûts ; puisque vous ne remplirez jamais toutes les conditions Feng Shui, faites en sorte de vous sentir au moins chez vous. Vous replacerez tout avant de partir.

o Si la chambre sent le renfermé, brûlez de l'encens ou du papier d'Arménie.

○ Si l'atmosphère de la pièce est trop « lourde », suspendez une petite boule de cristal à facettes au milieu du plafond : la lumière naturelle jouera avec elle, créant des rayons lumineux qui brasseront et stimuleront le *ch'i*.

○ Évitez d'utiliser les plafonniers, allumez une ou deux bougies en plus des lampes de chevet.

○ Prévoyez un petit bouquet de fleurs.

○ Avant de vous endormir, recouvrez la télévision d'une serviette de bain ou d'un vêtement.

Vingt-cinq façons de rester une famille très unie

I. Favorisez la réunion et l'échange

Faites du salon le centre de votre habitation.

2. Passez maître en art de la convivialité

Faites du salon une pièce accueillante, ouverte à tous les membres de la famille.

3. Ne vous encombrez pas

En surchargeant votre salon de meubles massifs, vous étouffez ses hôtes. À la longue, plus personne ne voudra venir s'y installer.

4. Composez un coin chaleureux

Réunissez le canapé et les fauteuils en face à face et autour d'une table basse.

5. Comme toujours, décorez avec des plantes

Les plantes donnent vie et gaieté aux occupants d'une demeure.

6. Préférez les fleurs artificielles

Si vous n'avez pas la patience de soigner vos bouquets, cela vous évitera au moins d'avoir mauvaise conscience.

7. Méfiez-vous de l'eau qui stagne

Changez régulièrement l'eau des vases, des bassins et des fontaines.

8. N'entassez pas

Le linge à repasser ou des manteaux pas rangés n'ont rien à faire sur le dossier d'une chaise ou sur un canapé.

9. Diffusez des essences naturelles

Des senteurs agréables accueilleront vos proches.

10. Dès 18 h, créez une ambiance yin

Elle a pour effet d'apaiser les plus excités.

11. Pendant les repas, éteignez la radio et la télévision

Elles empêchent toute communication avec votre compagnon et vos enfants.

12. Ne disposez aucune photographie sur la télévision

Car la personne qui y figure – par exemple un parent – capte ses mauvaises vibrations.

13. Réservez un espace de jeux à vos enfants

Ne les laissez pas envahir le salon qui, dans la soirée, est réservé aux adultes souhaitant trouver un moment de détente.

14. Ne vous éternisez pas

Quand le repas de famille est terminé, passez au salon pour prendre le café. Ne forcez pas vos invités à rester à table.

15. Recevez avec profusion

Disposez un peu partout des fleurs, des fruits, des bonbons et autres mignardises. Vos convives en seront ravis.

16. Aimez les tables rondes

Une table ronde favorise la communication.

17. Évitez les tables en L ou en T

Leurs angles saillants sont agressifs et n'aident guère à se sentir à l'aise lors d'un repas.

18. N'imposez de tabouret à personne

Si vous n'avez pas assez de chaises pour tout le monde, empruntez-en.

19. Réunissez les assiettes

Ne mangez pas dans un service dépareillé.

20. Jetez la vaisselle ébréchée

La vaisselle ébréchée « égratigne » les lèvres ou les main – ce qui entraîne des paroles ou des gestes blessants.

21. Soignez les détails

Des serviettes mal choisies, présentant des motifs géométriques agressifs par exemple, risquent de semer du désordre dans une soirée familiale.

22. Pensez aux grandes occasions

Pour fêter un anniversaire ou un mariage, fuyez : les salles trop isolées, les salles trop grandes, les salles municipales et les gymnases. L'ambiance y serait froide et impersonnelle, la soirée ratée.

23. Recherchez les symboles de longévité

Si vous accueillez un aïeul chez vous, ornez sa chambre de représentations d'animaux : un daim, une grue, un phénix, une tortue...

24. En vacances, pensez encore « Feng Shui »

Munissez-vous de quelques objets qui vous aideront à vous sentir bien partout : notamment de l'encens, un bouquet de fleurs en tissu, un objet de cristal et des petites bougies.

25. Et n'oubliez personne

Chez vous, exposez des portraits de famille qui représentent la tribu au complet.

chapitre 8

Comment faire de vos rejetons les enfants
les plus heureux du monde

Un bel intérieur, ça demande de l'attention

Vous pensez au bien-être de vos enfants, à leur santé, à leur épanouissement, à leurs plaisirs et à leurs joies, à leur temps libre, à leurs jeux, à leur sommeil, à leur travail à l'école : pensez « Feng Shui », naturellement.

Rappelez-vous que le domaine des enfants et de la créativité est situé dans le secteur ouest de votre maison : les plantes, les objets, les formes, les couleurs, les sons et les odeurs sont donc à placer en relation avec ce secteur ; l'Élément Métal y règne. Sans oublier le secteur nord-est, qui est celui de l'éducation et du savoir ; l'Élément Terre y règne.

Jeunes pousses

Le muguet

Pour favoriser le calme et la concentration de vos enfants en période d'examens, placez du muguet dans le secteur nord-est de votre maison ou de la grille du *pa kua*.

L'anémone

Associée à l'Élément Métal, l'anémone fixe le *ch'i* du secteur ouest.

Le dahlia pompon

Lié au *ch'i* du Métal, le dahlia pompon incite vos diablotins à la sagesse.

La pensée jaune

En correspondance avec l'Élément Terre, la pensée jaune redonne de la gaieté à un enfant boudeur.

Le cyclamen

Relié au secteur ouest, le cyclamen pousse à la vitalité quand il est rouge, à la stabilité quand ses fleurs sont blanches.

Le bégonia

Correspondant à l'Élément Terre, le bégonia est idéal pour apporter un sentiment de sécurité.

La « plante de l'argent »

Associé à l'Élément Métal, doté de feuilles rondes et épaisses, le *Crassula*, ou « plante de l'argent », apporte le calme. À conseiller pour des enfants turbulents.

Objets vaillants

Un cheval

Le cheval encourage la joie et l'esprit de camaraderie de vos enfants.

Un objet en métal

Les objets en métal, et notamment les boîtes rondes, renforcent le tonus de vos enfants.

Une statuette de pierre

Surtout si elles figurent des enfants, les statuettes de pierre renforcent l'énergie du secteur ouest.

La vie des jouets

Le lapin qui bat du tambour a fait la joie de votre enfant. Abandonné dans un coin, avec une pile usagée, ce jouet devient dangereux s'il est conservé ainsi. Changez ou ôtez la pile. Même chose pour les jeux électroniques. Tout jouet cassé doit être jeté et les peluches régulièrement lavées.

Formes créatives

Pour activer le secteur ouest des enfants et de la créativité, disposez des formes et des volumes qui correspondent à l'Élément Métal ou Terre, c'est-à-dire :

o une bille de métal ;

o un récipient rond en métal argenté ;

o un miroir rond à la bordure métallique ;

o un cendrier jaune, plat et carré ;

o un boulier peint en jaune ;

o une jardinière en terre garnie de pensées jaunes.

Couleurs pastel

Les couleurs associées au Métal et à la Terre sont le jaune, le blanc et l'argenté. Elles favorisent l'épanouissement de vos enfants.

Pour leur environnement, pensez aux tons pastel qui ont le pouvoir de lénifier.

Sons adoucis

Lutter contre le bruit est une attitude Feng Shui. Applications : si votre salon jouxte la chambre de vos enfants, placez une bibliothèque contre le mur ; c'est un bon isolant phonique, surtout si elle monte jusqu'au plafond. Baisser la sonnerie du téléphone, adoucir le timbre de la sonnette, éviter de claquer les portes, huiler leurs gonds... voilà autant de précautions pour ne pas irriter de jeunes et sensibles oreilles. Quant à la musique, utilisez-la à bon escient : tonique pour soutenir un enfant flagada, sereine pour augmenter sa capacité de travail.

Douces odeurs

En diffusant quelques gouttes d'huiles essentielles dans votre intérieur, vous contribuez à calmer un enfant énervé (avec de l'extrait de vanille ou du santal), à le relaxer entièrement (avec de la lavande ou du néroli) ou à lui donner du tonus (avec de la bergamote, du géranium et du romarin).

À éviter coûte que coûte

○ Choisir des couleurs yang et sombres pour la chambre ou l'espace de travail d'un enfant.

○ Laisser le sol encombré de jouets. Si l'enfant se lève la nuit, c'est dangereux ; c'est néfaste pour la qualité de son repos.

○ Accoler son bureau à son lit. Car ces deux énergies sont opposées, de même que dormir et travailler.

○ Lui donner un réveil au tic-tac bruyant ou bien un réveil électronique.

- ○ Ranger ses jouets sur une étagère surplombant son lit. Car, la nuit, leurs ombres prendraient des allures monstrueuses.

- ○ Suspendre un mobile au-dessus de son lit. Cela peut le terroriser.

- ○ Orienter des lits jumeaux dans un sens différent.

- ○ Faire partager un même bureau à deux enfants.

- ○ Faire l'obscurité complète dans sa chambre. Une veilleuse est la bienvenue.

Déployez votre sens maternel...

Dans l'entrée

L'entrée n'est pas une aire de jeux pour un enfant qui aime explorer la maison. Pour sa sécurité comme pour la vôtre, cet espace doit lui être interdit : pensez simplement à la porte qui s'ouvre et qui se ferme, avec le danger qu'il soit bousculé ou qu'il s'échappe, sans oublier les jouets qui encombrent et sur lesquels on risque de trébucher.

Excepté ces quelques conseils de base, l'entrée ne requiert aucun aménagement spécifique.

Dans la cuisine

Dans cette pièce également, le Feng Shui vous incite à prendre des mesures de sécurité pour votre enfant : il risque d'avaler des produits toxiques, de se couper, de se brûler, de s'ébouillanter... La cuisine est dangereuse pour lui.

Dans la salle de bains

Sécurité oblige, cet espace doit être aménagé en fonction de l'âge de votre enfant. Sans oublier les recommandations de base de l'art Feng Shui.

Dans le salon

Pour que votre salon soit accueillant, pour qu'il incite à la détente, à la lecture ou au dessin, disposez un ou deux tapis et limitez le nombre de meubles. Et n'en faites surtout pas un lieu qui encourage à regarder la télévision. Prévoyez éventuellement une surface dégagée, assez éloignée du canapé, pour les jeux de votre enfant.

Petit conseil tout simple : le secteur ouest est dévolu à la créativité et aux enfants – vous le savez. Si vous souhaitez stimuler cette zone pour protéger leur croissance et développer leur imagination, placez des plantes ou des fleurs fraîches. Sauf des bonsaïs et des cactus, bien entendu.

Dans la chambre

Nous voici en plein cœur de l'univers de l'enfant. C'est là qu'il s'éveille, qu'il joue et, tel un bourgeon, absorbe d'une manière intensive toutes les énergies qui circulent. Si le Feng Shui vous recommande d'appliquer les mêmes règles que dans la chambre d'un adulte pour préserver le sommeil et l'intimité, des précautions plus grandes sont à prendre. Cela évitera bien des tracas à cet être encore si sensible.

Tandis que la situation idéale d'une chambre d'enfant reste les secteurs est et ouest – qui favorisent la santé et la créativité –, le nord-est – qui correspond à l'éducation et au savoir – est plus approprié pour la chambre d'un adolescent ; cela va l'encourager dans ses études.

Un lieu à privilégier

○ Choisissez des couleurs tendres et claires.

○ Éliminez les appareils électriques et les machines informatiques, du téléviseur à l'ordinateur et jusqu'au réveil électronique. C'est l'une des règles essentielles du Feng Shui.

○ Le bureau doit être éloigné du coin « sommeil ».

○ En suspendant un cristal dans le secteur nord-est de la chambre, vous aidez votre enfant à résoudre ses difficultés scolaires.

○ Le sol est débarrassé de tous les jouets qui ont été soigneusement rangés.

○ Faites attention à l'orientation du lit : pour préserver la qualité du sommeil, la tête de l'enfant est à l'est ou au nord. Sauf exception, il ne doit pas dormir sur un matelas à même le sol, car le *ch'i*, en circulant, doit pouvoir l'envelopper.

○ Idéal en osier, le berceau d'un nouveau-né constitue en revanche un nid d'électricité statique s'il est fait de matériaux et de tissus synthétiques.

○ Si plusieurs enfants partagent la même chambre, les lits doivent être orientés dans la même direction et chaque enfant doit avoir son coin personnel. En cas de lits superposés, l'enfant le plus léger dort en haut ; les agitations de l'un n'ont pas à perturber le sommeil de l'autre.

Changez tout

Si votre petit diable entre en période de rébellion ou semble perturbé, reconsidérez dans sa chambre la place du mobilier. En changeant simplement l'orientation de son lit ou de son bureau, vous l'aiderez à passer un cap parfois difficile.

Dans le jardin ou sur le balcon

Ici comme ailleurs, vous avez suivi les conseils de base du Feng Shui et vous avez respecté quelques règles de sécurité. Le jardin peut désormais devenir une source de joie pour un enfant qui a besoin d'air et d'espace.

Activez le secteur ouest afin de favoriser sa croissance et sa créativité, ainsi que le secteur nord-est pour stimuler sa mémoire.

Dans le bureau

Votre enfant présente des difficultés scolaires ? des problèmes de concentration ? Pour l'aider, activez le secteur nord-est qui est gouverné par l'Élément Terre. La présence d'un globe terrestre facilite grandement l'acquisition des connaissances. Apprenez à votre enfant à faire tourner le globe au moins une fois par jour : comme tout objet exerçant une rotation, cela active le *ch'i*.

Comment vous y prendre...

Pour bien préparer la rentrée

Le premier jour de la rentrée scolaire est capital : selon la façon dont il s'est déroulé, il marque souvent l'attitude d'un enfant en classe ainsi que la qualité de son travail. C'est pourquoi vous avez grand besoin de conseils de « démarrage » pour aider votre enfant. Sachez également qu'en vous inspirant des règles du Feng Shui vous pourrez rattraper une scolarité mal engagée. À nouveau trimestre nouveaux remèdes.

Une nouvelle maîtresse, un cartable tout neuf

Tandis que la rentrée est pour vous l'époque des grandes réorganisations d'intendance, elle représente pour les petits un événement impressionnant, qu'ils vivent dans une appréhension mêlée de joie. Ils ont des fournitures toutes neuves dont ils sont très fiers, allant du cartable aux cahiers, ils portent des vêtements neufs, ils changent de classe, ils découvrent une nouvelle maîtresse ou de nouveaux professeurs, ils vont se faire de nouveaux amis. Que de changements ! Et quelle excitation ! Mais pour reprendre le chemin des écoliers ils doivent abandonner les grasses matinées, l'insouciance des vacances et tous leurs jeux. Pour aborder ce moment décisif, ils ont besoin de vous. Voici comment les aider efficacement. Vous verrez, c'est très simple...

Le grand ménage de septembre

○ Nettoyez leur chambre de fond en comble, car le désordre suscite la confusion.

○ Aérez en provoquant des courants d'air.

○ Faites place nette, faites peau neuve : visuellement, vos enfants s'imprégneront de cette énergie de détermination, de rigueur et d'organisation.

○ Désencombrez la surface du bureau. Placez-y une lumière individuelle.

○ Ajoutez de nouvelles couleurs dans le décor et les fournitures, allant de l'abat-jour au protège-cahier : le jaune est idéal pour le développement des facultés de raisonnement, le bleu clair détend les enfants nerveux ou hyperactifs.

○ Avant la sortie des classes, parfumez la chambre et la maison en vaporisant quelques gouttes d'essence d'orange ou de lavande mêlée à de l'eau de source ou de pluie.

Maintenant que vous avez tout organisé pour favoriser la rentrée scolaire, il ne vous reste plus qu'à garder un œil Feng Shui sur vos chers bambins.

Pour soutenir sa créativité

Un enfant est naturellement curieux et créateur. L'influence de son environnement est décisive dans le développement de sa créativité : c'est pourquoi vous devez accorder l'harmonie de votre intérieur à l'éclosion des talents de votre petit génie.

Le processus de créativité passe par sept phases : la motivation, l'exploration d'autres champs et d'autres domaines, la manipulation et la transformation des éléments ainsi que des idées trouvées, l'incubation, l'illumination, l'audace, enfin l'action. Que d'énergie pour passer toutes ces étapes, quelle vitalité indestructible pour mener à terme tous ces projets ! Misez avant tout sur la qualité du sommeil : un enfant fatigué, qui dort mal ou trop peu, ne risque guère de se concentrer sur une activité. Alors passez à l'attaque.

À bas le petit écran

Déclarez une guerre sans répit à la télévision, qui envahit les espaces et les esprits. Pas de poste dans la chambre, pas de programmes le soir avant d'aller dormir. Se coucher trop tard, pendant la semaine, pour regarder un feuilleton, et se lever plus tôt, le dimanche matin, pour ne pas rater un dessin animé, devient une véritable course contre la montre et contre le sommeil. Stop !

Se mettre au lit après avoir subi une excitation intense, après avoir été agressé par des sonorités et des éclairs lumineux provenant d'un écran, est nocif et épuisant. Sans compter vos sollicitations répétées et de plus en plus énervées pour que votre enfant aille au lit. Quant à son identification à des personnages de dessins animés souvent violents, elle perturbe son sommeil et ses rêves. Autre inconvénient : le pouvoir hypnotique de la télévision provoque dans la journée une certaine apathie physique et intellectuelle. Et que dire de l'inertie et du grignotage devant le petit écran ! Vous êtes convaincue ?

Vive la terre, le bois et le végétal

Halte aux ondes électromagnétiques ! Pour compenser en partie les méfaits des jouets électriques et électroniques, privilégiez le travail manuel ou tout loisir qui conduit à manipuler la terre (la sculpture), le bois (la construction), les végétaux (la réalisation d'un herbier, la création d'objets en raphia) ou les coquillages (les bijoux, les mobiles). Non content d'avoir créé un objet de ses propres mains, votre enfant jouira des bienfaits de la créativité et du contact direct avec les ressources de la nature.

Maintenant qu'il a fait le plein en énergie et en plénitude, votre enfant est prêt à exercer tous ses talents. Et si sa créativité témoigne de son équilibre et de ses capacités imaginatives, n'oubliez pas que votre reconnaissance est ici capitale, car elle accompagne et stimule son plaisir d'inventer et de créer. Ne soyez pas avare en compliments.

Pour l'aider à s'endormir et à ne pas se réveiller en pleine nuit

Le sommeil n'est pas une interruption d'activité de l'organisme mais représente au contraire une autre forme d'activité. Il est essentiel à la récupération de la fatigue physique et intellectuelle, à la croissance et à la maturation du système nerveux d'un enfant. Pour grandir, un petit a besoin de sommeil. Quand il ne dort pas ou quand il ne parvient pas à s'endormir, sans doute est-ce parce que le rythme que vous lui imposez et ses besoins propres ne correspondent pas. Ne dramatisez pas, car votre anxiété ne ferait qu'amplifier le problème et risquerait de faire durer les choses. Avant de consulter, assurez-vous d'avoir bien suivi toutes les recommandations du Feng Shui.

Dans son lit

Pour bien commencer sa nuit, un enfant a besoin de l'intimité, du confort et de la sécurité de son lit. Il doit aussi bénéficier d'une ambiance propice au sommeil, loin des lumières agressives, loin du bruit de la télévision – vous l'avez vu – et des conversations de son entourage. Si vous ne tenez pas compte de son besoin de repos et si vous ne parvenez pas à lui fixer des règles et des limites, votre enfant s'endormira facilement hors de son lit, car il est encore incapable de percevoir et de comprendre les signaux que lui adresse sa fatigue. Et puisque la nuit l'insécurise, il préférera toujours s'écrouler n'importe où, près de ses parents. Mais attention ! car vous courez alors au-devant de bien des difficultés : si vous devez réveiller un enfant assoupi sur le canapé pour aller le coucher dans son lit, sachez qu'il aura du mal à se rendormir ; et si l'événement se produit trop souvent, il assimilera avec difficulté l'idée de ne dormir « que » dans son lit ; cet acte répété créera une confusion dans son esprit – ce qui l'amènera à se réveiller en pleine nuit.

Rituel, veilleuse et jolis draps

Pour s'endormir convenablement, un enfant doit se sentir en sécurité. Celle-ci passe par un certain rituel : la lecture d'une histoire, une petite musique, un câlin, et on en passe... à vous d'inventer. Voici un moment privilégié pour l'intimité et la confidence, l'échange et l'affection, la douceur et le calme, voici un merveilleux moment à partager. Retrouver son univers familier dans sa chambre est également rassurant, avec son nounours collé tout contre lui.

Fermez les persiennes et tirez les rideaux : un enfant a besoin du noir pour réguler ses cycles de sommeil et d'activité. Grâce à une veilleuse, il pourra éventuellement se lever et s'orienter la nuit sans appréhension. Laissez éventuellement la porte entrouverte.

Votre enfant rêve de s'endormir dans les bras de son héros préféré, dans des draps figurant un monde enchanté ? Choisissez des parures aux teintes claires et tendres mais bannissez les enveloppes de couette aux personnages démesurés. Car glisser son petit corps sous un énorme Superman ou une gigantesque Blanche-Neige peut se révéler étouffant. D'une manière générale, évitez les motifs écrasants et les couleurs trop yang, donc violentes, qui fragilisent et agressent un enfant ; en état de sommeil, il est deux fois plus réceptif. Dès que le marchand de sable est passé, faites disparaître tous les appareils audio, jusqu'au baladeur bien caché sous la couette.

Vingt-cinq façons de prendre le plus grand soin de vos enfants

1. Respectez leurs goûts

Aménagez leur espace personnel en respectant les règles du Feng Shui ainsi que leurs goûts : ils s'épanouiront bien mieux.

2. Pensez à leurs jeux, à leur détente et à leur sommeil

Dans la chambre, réduisez l'ameublement au minimum et placez un tapis douillet.

3. Rangez

Veillez à ce que le sol de la chambre ne soit pas jonché de jouets.

4. Cherchez l'harmonie et la sécurité

Choisissez des meubles aux angles plutôt arrondis.

5. Faites attention aux installations électriques compliquées

Sur le plan des énergies, elles sont dangereuses et négatives.

6. Visez haut

Des lampes orientées vers le plafond génèrent un bon *ch'i*.

7. Installez des stores

La nuit, ils ralentissent le flux du *ch'i*.

8. Luttez contre la peur du noir

Dans un coin très protégé et sans danger, allumez un photophore. Ici, le *ch'i* du feu a un effet calmant sur un enfant.

9. Privilégiez les matières naturelles

Cela vaut pour les draps, les meubles de rangement, les jouets et tous les accessoires.

10. Laissez entrer la lumière

Arrangez-vous pour que l'aire de jeux bénéficie toujours de la lumière du jour.

11. Accordez couleurs et personnalité

Exemples : tandis que le jaune aide à développer les facultés de raisonnement, le bleu clair apaise un enfant nerveux.

12. Diffusez

En fin d'après-midi, diffusez dans la chambre quelques gouttes d'essence d'orange ou de lavande.

13. Orientez à l'ouest

Si l'un de vos enfants est hyperactif, orientez sa chambre à l'ouest, qui bénéficie des derniers rayons du soleil ; cela aide à soigner les troubles de l'attention.

14. Orientez à l'est ou au sud-est

Une chambre orientée à l'est reçoit le soleil matinal qui renforce le *ch'i* et dynamise les énergies de la pièce. Associé à la croissance, le soleil levant est idéal pour le jeu et la créativité.

15. Placez la tête de lit au nord ou à l'ouest

Cela favorise l'endormissement et le sommeil. Surtout si un enfant est agité.

16. Et n'oubliez pas la vôtre

Si vous êtes en conflit avec l'un de vos enfants, pendant un certain temps orientez votre tête de lit comme la sienne.

17. Faites attention au *ch'i* du nord-est

Car il peut donner à un enfant l'envie de vous dominer.

18. Et méfiez-vous de celui du sud

Car il peut le perturber.

19. Modifiez l'orientation du bureau

Cela peut s'avérer utile si vous devez batailler pour que l'un de vos enfants fasse ses devoirs.

20. Ne faites pas dormir un enfant sous une fenêtre

Trop actif, le *ch'i* empêcherait son bon sommeil.

21. Attention aux radiations

Qu'elles soient émises par une télévision, un ordinateur ou un appareillage électrique. Chassez donc toutes les machines de la chambre !

22. Affichez un dicton ou une maxime

N'hésitez pas à encadrer une phrase pleine de sagesse concernant les enfants ou l'amour entre parents et enfants.

23. Ne suspendez pas de mobile au-dessus du lit

Mais accrochez-le dans le secteur ouest de la chambre.

24. Choisissez plutôt un mobile aux teintes pastel

Il sera plus apaisant. S'il est en métal, il sera plus stimulant.

25. Et, dans le secteur ouest, placez un souvenir de votre propre enfance

Vous vous rapprocherez ainsi de vos enfants.

chapitre 9

Comment entretenir de bonnes relations avec vos amis et comment vous en faire de nouveaux

Un bel intérieur, c'est chaleureux

L'amitié occupe une grande place dans la vie affective, intellectuelle et sociale de chacun. Sans amis, que serions-nous ? Trouver le chemin de l'entente avec ceux qui nous entourent n'est pas chose aisée, car il n'est pas toujours simple d'être en accord avec soi-même. Une fois encore, le Feng Shui peut vous apporter de vraies solutions.

Activez trois secteurs : le secteur nord-ouest, qui régit la présence des aides et de la communication (où règne l'Élément Métal), le secteur sud, qui gouverne la renommée (où règne le Feu), et le secteur sud-ouest, qui commande l'amour et les perspectives affectives (où règne la Terre).

Plantes et fleurs affables

Le bleuet

Avec sa forme en étoile et sa couleur bleue, le bleuet est connu pour favoriser de nouvelles relations et pour garder la communication. À placer dans le secteur nord-ouest de la grille du *pa kua*.

La tulipe

En forme de calice, la tulipe renforce le *ch'i* du Métal, donc de la communication, des déplacements et des aides. La tulipe rose crée du contentement et du plaisir. À placer dans les secteurs sud et sud-ouest pour dynamiser vos rapports amicaux.

Le tournesol

Disposés au centre de votre salon ou dans les secteurs sud-ouest et nord-ouest de votre demeure, les tournesols apaisent et stabilisent les amitiés.

L'œillet

S'il figure dans le secteur nord-ouest, l'œillet rose adoucit la communication.

Le cyclamen

Associé à l'Élément Terre, le cyclamen permet de conserver de bons rapports avec ses amis. Activez le *ch'i* des secteurs nord-ouest et sud-ouest.

Le poinsettia

Doté de fleurs en étoile, le poinsettia est associé au Feu. Pour renforcer vos liens d'amitié, vous pouvez en installer un bouquet dans le secteur sud. En général vendu à l'époque de Noël, il fait bel effet sur la table. À conseiller si vous passez les fêtes entre amis.

Le bégonia

Lié à l'Élément Terre, le bégonia est à placer dans les secteurs nord-ouest et sud-ouest. Il stimule la communication et l'affection.

Les branches de pin

Associées aux amitiés durables, les branches de pin sont idéales pour renforcer la bienveillance et la complicité. Accrochez-les dans les secteurs sud-ouest et nord-ouest. À défaut, exposez un paysage de pinède.

Objets d'amitié

Des représentations d'enfants

Quelle qu'en soit leur représentation – peinture, sculpture ou photographie – deux enfants se tenant par l'épaule ou par la main évoquent l'amitié et la fraternité. Parfait pour le secteur nord-ouest de votre maison.

Des photographies d'amitié

Vous souhaitez vous lier d'amitié avec quelqu'un ? Sachez que les images sont vibratoires et, quand elles sont offertes ou projetées, elles s'expriment dans l'éternité : en exposant la figuration de votre amitié future, vous la susciterez. Encadrez donc une image qui vous réunit, vous et votre prochain ami, quitte à faire un montage ! En revanche – et ça vous le savez déjà – ne montrez jamais de photographie d'un trio, car la personne du centre viendra séparer les deux autres et briser leur amitié.

Un lustre en cristal

Suspendre un lustre à nombreux cristaux dans le secteur sud-ouest permet d'avoir une maison toujours gaie, toujours remplie d'amis. Ses vibrations positives évitent les frictions, les jalousies et les rivalités stupides.

Formes agréables

Pour activer les secteurs sud, sud-ouest et nord-ouest, ceux de la renommée, de l'amour et des aides, disposez des formes et des volumes qui correspondent à l'Élément Feu, Terre ou Métal, c'est-à-dire :

- ○ des objets de métal (pour le nord-ouest), des boîtes (pour le sud-ouest) et des formes rondes ou de la céramique (pour le nord-ouest) ;

○ une bougie rouge ;

○ un candélabre en forme d'étoile ;

○ un vase rouge en forme de pyramide ;

○ un cendrier jaune, plat et carré ;

○ un boulier peint en jaune ;

○ un pot rectangulaire en terre cuite ;

○ des billes de métal ;

○ un plateau rond argenté ;

○ un miroir rond métallisé.

Couleurs rieuses

Plus les coloris de votre demeure seront gais, plus vous aurez du succès en amitié. Jouez de la dynamique des couleurs pour animer votre intérieur et dérider une atmosphère. À la manière des impressionnistes, posez-les par petites touches afin de créer de la luminosité et du mouvement. Osez un vert arsenic à côté d'un mauve ou d'un rouge brique. C'est détonnant.

Sons gracieux

Les sons qui proviennent des percussions sont associés au *ch'i* du Métal, idéal pour renforcer le secteur nord-ouest. En suspendant un mobile ou un carillon éolien aux tiges métalliques, vous stimulerez vos amitiés ; s'il est en bois, placez-le au sud afin de raviver l'éclat de votre personnalité.

Odeurs enjouées

En pénétrant dans un intérieur qui respire la bonne humeur, vos invités seront ravis. En humant des fragrances de fleurs, ils seront proches du bonheur ! La rose, la cannelle, la vanille, la framboise, le jasmin, la lavande, la pêche et le pois de senteur favorisent l'épanouissement. Attention ! certaines personnes sont allergiques à des parfums.

À éviter tout à fait

○ Offrir des couteaux ou tout objet pointu et aiguisé. Car ils coupent l'amitié.

○ Proposer du thé ou du café dans une tasse ébréchée.

○ Installer un ami en coin de table.

○ Lui donner un simple tabouret.

○ L'installer sous une poutre ou en face d'un angle saillant.

○ Exposer la photographie de trois amis. C'est déjà les brouiller.

○ Laisser une « flèche empoisonnée » menacer votre porte d'entrée.

Pas de couteau en cadeau

On ne peut offrir de couteaux, c'est bien connu, car ils coupent l'amitié et les liens familiaux. Si d'aventure vous receviez en cadeau un couteau (même suisse), une paire de ciseaux (même ciselés) ou un tire-bouchon (même très pratique), donnez en échange une pièce de monnaie : cet acte symbolique simule l'achat que vous auriez pu faire vous-même, effaçant ainsi la malchance présagée.

Déployez votre bienveillance...

Dans l'entrée

Si vous recevez beaucoup, sachez que les fibres végétales et les bois tendres, qui créent une atmosphère feutrée, sont déconseillés dans les lieux de passage à cause de leurs difficultés d'entretien. Évitez-les dans l'entrée. Faites simple, sobre et accueillant, comme vous le recommande toujours le Feng Shui. Jusqu'ici, rien de nouveau.

Dans la cuisine

Le plus souvent, les intimes aiment s'installer dans la cuisine pour aider à mettre la table ou bavarder en picorant dans les plats. Quand vous recevez vos meilleurs amis, la cuisine n'est donc plus votre domaine réservé mais un espace convivial, bien propre et bien rangé — encore mieux que d'habitude, s'il vous plaît !

Faites simple, sobre et accueillant : un plat unique servi dans une atmosphère détendue convient parfaitement aux repas pris entre amis. D'ailleurs, ce style de cuisine permet de s'adapter très vite à l'arrivée impromptue de nouveaux convives.

Petit conseil culinaire : dressez une table à tendance yin si vos amis viennent dîner, à tendance yang s'ils viennent bruncher.

Dans la salle de bains

Rien à faire ici, excepté de suivre les recommandations générales, quelques règles de bon sens et d'hospitalité :

○ mettez à la disposition de vos hôtes des savons et des serviettes d'invités, et des brosses à dents neuves ;

○ libérez les patères de vos peignoirs et autres vêtements personnels.

Petit conseil convivial : offrez un espace propre et chaleureux.

Dans le salon

Un canapé et des fauteuils répartis autour d'une table basse sont les pièces maîtresses du salon – vous le savez déjà. Pensez au dos de vos hôtes : proposez des sièges individuels, d'assise, de hauteur et de confort variés. Le soir, quelques bougies apportent une note d'intimité ; prenez-les jaunes pour stimuler les conversations, oranges pour favoriser la joie et l'amitié.

Dans la chambre

Pour préserver la chambre d'amis de tout risque d'allergie, choisissez des matières naturelles, qui respirent et contribuent à réguler la température du corps. Éliminez tout ce qui ressemble de près ou de loin à de la mousse de polyuréthane – pour le matelas, les oreillers et les traversins –, à du polyester – pour les couettes et les duvets – et à des fibres mélangées qui, pour la plupart, sont allergènes.

Des tissus muraux, des rideaux, des tapis et une moquette réchauffent la pièce, étouffent les bruits et augmentent le confort d'une chambre. On n'y pense jamais assez : la penderie de la chambre d'amis n'étant pas l'annexe de la vôtre, elle doit rester vide et posséder assez de cintres.

Petit conseil douillet : faites de ce lieu un gentil cocon.

Dans le jardin ou sur le balcon

Posséder un coin de jardin, une terrasse ou un petit balcon pour recevoir ses amis à la belle saison, voilà un bonheur sans cesse renouvelé. Soignez bien vos arbustes et vos plantes d'extérieur ; selon la philosophie Feng Shui, les végétaux en bonne santé produisent leur propre énergie et un excellent *ch'i*, mais s'ils sont laissés à l'abandon, ils n'attirent que tristesse et désolation.

Pour susciter des visites amicales ou conserver de bonnes relations, accrochez un carillon éolien dans le secteur nord-ouest ; même chose dans le secteur sud-ouest pour attirer l'affection et dans le secteur sud pour entretenir une excellente réputation.

Petit conseil floral : si vous voulez changer de décor naturel, choisissez des fleurs bleues au nord-ouest et des fleurs rouges ou roses au sud et au sud-ouest.

Une maison sachant recevoir

- Ne bouchez pas l'accès de votre maison : ne garez pas votre voiture devant le portail ou dans l'allée.

- Pas de sac-poubelle ni de container à déchets devant votre jardin.

- La porte de la clôture doit s'ouvrir facilement.

- Le dallage doit être en bon état.

- Dès la nuit tombée, éclairez le seuil.

- Pas de molosse enchaîné à sa niche.

- Pas de flaque d'eau à enjamber ni de branchage à contourner.

Laissez venir à vous tous les convives : une invitation, ce n'est pas un parcours du combattant.

Dans le bureau

Dévolu à la correspondance et au travail personnel, le bureau n'est pas le lieu de l'amitié. Toutefois, si l'un de vos invités souhaite tranquillement passer un coup de fil ou écrire un mot, il doit trouver dans votre bureau un cadre ordonné, débarrassé du superflu et chaleureux.

Dans un studio

La petitesse de ce lieu se prête-elle à un aménagement spécifique pour choyer vos amis ? Non, pas vraiment. Mais si vous voulez voir de nouvelles têtes ou entretenir vos relations actuelles, activez donc les secteurs sud, nord-ouest et sud-ouest de votre studio.

Comment vous y prendre...

Pour lier connaissance et devenir complices

Se faire de nouvelles connaissances, sympathiser puis s'engager dans une relation profonde et durable qui dépasse le simple rapport cordial : tout cela n'est pas facile pour la plupart d'entre nous qui vivons dans un univers hyperorganisé et finalement très fermé. Sans en avoir pleinement conscience, nous nous isolons peu à peu et, un beau jour, nous nous mettons à regretter de ne pas être assez entourées.

Révisons les lois de l'hospitalité

Sortir et surtout bien recevoir : tels sont les deux mots d'ordre pour faire naître et entretenir l'amitié. Les lois de l'hospitalité sont au cœur de la philosophie Feng Shui, et vous les avez largement apprises dans le chapitre 8 consacré à la famille. Vous les avez un peu oubliées ? On récapitule :

○ Un convive doit se sentir attendu et accueilli. Comment ? Par une porte d'entrée impeccable, par un carillon enjoué – évitez le marteau qui crée une sensation de rudesse pour celui qui frappe et d'assaut pour celui qui l'entend. Vous-même, quand vous sortez chez des amis, n'êtes-vous pas un peu repoussée par une porte encrassée ou dégradée, par un heurtoir violent ou une sonnette stridente ?

○ Plus tôt vous marquerez l'hospitalité, plus vite vous serez entourée. Dès la porte franchie, vos amis doivent se sentir les bienvenus dans un cocon : le vôtre. Une entrée bien rangée et joliment éclairée, voilà qui est accueillant. N'obligez pas vos hôtes à se déchausser – cela est de mauvais ton dans notre culture occidentale. Si vous voulez parfumer votre intérieur, faites-le avant leur arrivée, car les fumigations d'encens risquent d'importuner.

○ Installez vos amis dans un salon dégagé, décoré et fleuri.

○ Évitez les tables en L ou en T et préférez les tables rondes. Si vous n'avez pas assez de chaises, pas de table convenable et pas assez de vaisselle, composez un buffet.

○ À table, ôter un plat entièrement vide crée des énergies de pauvreté. Ne présentez donc pas tout de suite l'ensemble de vos mets et allez remplir les plats avant qu'ils soient dégarnis.

○ N'offrez jamais le café dans des tasses ébréchées.

Pour être en excellents termes avec vos voisins

Vivre en bonne intelligence dans le même immeuble ou le même pâté de maisons, garder des relations cordiales avec vos chers voisins, n'attirer ni leur jalousie ni leur hostilité ni encore leur aigreur – mais si, ça arrive – : voilà qui est indispensable pour jouir tranquillement de votre intérieur. Vous êtes comblée ? Vous êtes un couple heureux ? Attention, vous risquez d'être la visée des envieux. Tous les mauvais sentiments suscitent des vibrations perturbatrices et nuisent à votre bonheur. Pour que la cohabitation ne devienne pas un enfer, suivez les conseils du Feng Shui.

Si vous êtes en maison individuelle, redoublez de prudence : veillez à ne pas empiéter sur le territoire d'autrui, à ne faire aucune installation, même précaire, qui embarrasserait vos voisins, ne pointez pas de « flèches empoisonnées » dans leur direction – par exemple un étendage, un poteau ou toute forme saillante. En débloquant vos énergies, n'empoisonnez pas les leurs.

Ultime petit conseil : refuser un geste de convivialité peut blesser celui qui le manifeste à votre égard. Si vous ne souhaitez pas accepter une invitation à dîner car vous risquez d'avoir à renvoyer l'ascenseur, suggérez de boire un petit café, de prendre le thé ou de déguster une sucrerie. Au moins, vous éviterez à votre voisin la vexation d'une rebuffade. À bon entendeur, salut...

Vingt-cinq façons de rester bons amis

1. N'oubliez pas qu'un couteau, ça coupe

Ça coupe donc aussi l'amitié. Ce dicton vaut pour tous les instruments pointus, piquants et tranchants. N'en offrez jamais. Si par malheur vous en receviez, annulez les mauvais effets de ce cadeau en le « payant » symboliquement avec une ou deux pièces de monnaie.

2. Considérez une montre comme un cadeau négatif

Cela se rattache également à la tradition Feng Shui. Si on vous offre une montre, procédez de la même façon qu'avec un couteau.

3. Suspendez un lustre en cristal

Ne le mettez pas n'importe où : placez-le dans votre entrée ou dans le secteur sud-ouest de votre maison. Avec lui, vous aurez beaucoup d'amis.

4. Accrochez un carillon éolien en métal

Il vous préservera des disputes entre amis.

5. Sans oublier un carillon en bois

Il fera du bien à votre réputation.

6. Éclairez le secteur sud-ouest de votre jardin

Ou placez une lampe sur votre balcon. Cela donnera un coup de pouce à vos relations amicales.

7. Aimez le rouge, le jaune et l'orange

Si vous vivez en studio, vous avez peu de place. Alors autant recourir aux couleurs pour activer le secteur sud-ouest. Placez par exemple une petite lampe.

8. Saviez-vous que le pin renforce l'amitié ?

Pour que vos relations amicales soient durables, installez une branche de pin au-dessus ou à côté de la porte d'entrée.

9. Attention aux portraits

N'exposez jamais les portraits de vos amis dans une pièce en sous-sol, en face des toilettes, de la porte d'entrée ou d'un escalier.

10. Sachez que l'hospitalité est une vertu précieuse

De même que vous savez recevoir votre famille, sachez recevoir tous vos amis, anciens et nouveaux.

11. Lors d'un dîner, placez bien vos amis

Afin d'équilibrer les énergies yin et yang, installez un homme à côté d'une femme.

12. Faites un seul plat

Si vous recevez des amis proches, ne mettez pas les petits plats dans les grands : simplifiez-vous la vie et faites un plat unique. Le repas sera plus chaleureux.

13. Respectez les consignes habituelles

Pas de table placée sous une poutre, pas de convive assis en face d'une porte, encore moins en coin de table.

14. Évitez qu'un convive ne prenne le dernier morceau dans le plat

Cela provoque des énergies d'infortune et de célibat. Ce qui ne serait pas gentil pour votre ami !

15. Ne tournez jamais le bec verseur d'une théière ou d'une cafetière vers un invité

C'est une façon malheureuse d'envoyer une « flèche empoisonnée ».

16. Acceptez le dernier chocolat ou le dernier verre

Un verre d'eau bien sûr, et jamais d'alcool ! Il est grossier de décliner une offre, quelle qu'elle soit ; cela aurait pour effet de créer un retour malchanceux.

17. Laissez de la place

Dans la chambre que vous avez réservée à vos amis, laissez la penderie vide
– mais remplie de cintres.

18. Ne montrez jamais quelqu'un du doigt

En le désignant comme cible, vous déclencheriez les hostilités.

19. N'envoyez pas de « flèches empoisonnées » à vos voisins

Tout cela pour rester en bons termes avec eux.

20. Ne laissez rien traîner chez eux

Surtout pas des objets coupants ou tranchants que vous leur avez prêtés et
qu'ils tardent à vous rendre.

21. Ne vous barricadez pas

Choisissez plutôt de placer tout autour de votre jardin une jolie clôture aux
motifs arrondis, aux formes et aux proportions harmonieuses.

22. Dégagez votre entrée

Cela suscitera une bonne énergie de voisinage.

23. Aimez la lumière

Placez des éclairages tout autour de votre maison. Sinon, éclairez le portail.

24. Ne créez aucun obstacle

Si vous avez une maison, veillez à ce que l'allée ne soit ni boueuse ni pleine de
trous. Un dallage bien entretenu entretient l'amitié.

25. Stimulez régulièrement les sud, sud-ouest et nord-ouest

Ces trois secteurs sont à activer ensemble afin d'influencer favorablement vos
relations d'amitié.

Petit glossaire de Feng Shui

Bois

Le Bois est l'un des cinq Éléments. Cette énergie ascendante et puissante favorise la croissance, la vitalité, l'activité, la vie professionnelle, les projets nouveaux, l'initiative et le dynamisme.

Carré magique

Il contient les neuf premiers nombres et révèle une particularité : que vous additionniez horizontalement, verticalement ou en diagonale les chiffres inscrits dans les lignes, la somme est toujours égale à 15.

Ch'i

Cette force vitale de l'univers circule tout autour de nous. Le *ch'i* peut être favorable ou défavorable.

Eau

L'eau est l'un des cinq Éléments. Cette énergie instable et ondulante suscite la profondeur, la souplesse et la tranquillité. Elle favorise la spiritualité, l'indépendance, l'harmonie sexuelle, l'affection et la fécondité.

Élément

Selon la tradition chinoise, il existe cinq Éléments – la Terre, le Bois, le Feu, le Métal et l'Eau –, qui sont des champs d'énergie pure. Leur action provoque bien-être ou maladie. Une correspondance avec le temps, l'espace et tout ce qui est présent sur Terre leur est attribuée : c'est à ce titre que les éléments font partie intégrante de votre habitation, où ils trouvent leur résonance.

Feu

Le Feu est l'un des cinq Éléments. Cette énergie mobile, vive et ardente engendre des sentiments chaleureux, de la passion et de la sensualité.

« Flèche empoisonnée »

Chaque forme, chaque structure anguleuse, aiguë ou droite, projette une énergie malveillante qui entraîne des effets nuisibles ou destructeurs. C'est la raison pour laquelle on la nomme « flèche empoisonnée ».

Grille du *pa kua*

Issue de la philosophie Feng Shui, la grille du *pa kua* est divisée en neuf secteurs égaux, qui correspondent aux huit domaines de votre vie : la richesse, la renommée, l'amour, les enfants et la créativité, les voyages et les aides, le travail, l'éducation et le savoir, enfin la santé.

Métal

Le Métal est l'un des cinq Éléments. Cette énergie maîtresse favorise la solidité, l'autorité, la richesse et l'organisation.

Ondes de forme

Ce sont des vibrations produites par un objet ou une forme quelconque. Selon la nature de cet objet ou de cette forme, elles plongent leur environnement dans un champ positif ou négatif.

Pa kua

Cette figure correspond aux huit directions de la boussole : les quatre points cardinaux et les quatre positions intermédiaires. La grille du *pa kua* est souvent représentée avec ses huit côtés.

Sha

Voici le principe des ténèbres, voici une vibration négative qui répand donc des effets néfastes.

Shar ch'i

C'est « le souffle qui tue ». Très actif et violent, ce mauvais *ch'i* est en général produit par des formes ou des structures aiguës ou pointues, c'est-à-dire des « flèches empoisonnées ».

Terre

La Terre est l'un des cinq Éléments. Cette énergie stable, s'élevant des profondeurs, engendre l'équilibre, le confort, la sécurité et la prudence.

Yang

Il s'agit de l'énergie créatrice. Elle génère le mouvement et la chaleur. Elle est opposée au yin.

Yin

Opposée au yang, cette énergie est réceptive. Elle génère le calme et l'immobilité.

Table des matières

chapitre 6

Photocomposition Nord Compo

Imprimé en Italie
par « La Tipografica Varese S.p.A. » Varese
ISBN : 2501-04319-7
Dépôt légal : 65149 - Octobre 2005
4092730/04